Mulheres

Mulheres

Mary Ann-Cox • Carol Sue Merkh

© 2001 por Carol Sue Merkh e Mary-Ann Cox

1ª edição: dezembro de 2001
13ª reimpressão: abril de 2022

REVISÃO
João Guimarães

CAPA
Maquinaria Studio

DIAGRAMAÇÃO
Atis Design

Editor
Aldo Menezes

COORDENADOR DE PRODUÇÃO
Mauro Terrengui

IMPRESSÃO E ACABAMENTO
Imprensa da Fé

As opiniões, as interpretações e os conceitos emitidos nesta obra são de responsabilidade das autoras e não refletem necessariamente o ponto de vista da Hagnos.

Todos os direitos desta edição reservados à
EDITORA HAGNOS LTDA.
Av. Jacinto Júlio, 27
04815-160 — São Paulo, SP
Tel.: (11) 5668-5668

E-mail: hagnos@hagnos.com.br
Home page: www.hagnos.com.br

Editora associada à:

Dados Internacionais de Catalogação na Publicação (CIP)

(Câmara Brasileira do Livro, SP, Brasil)

Merkh, Carol Sue

101 Ideias criativas para mulheres / Carol Sue Merkh, Mary-Ann Cox. — São Paulo: Hagnos, 2001. — (101 Ideias Criativas.)

ISBN 85-88234-08-4

1. Criatividade 2. Mulheres 3. Reuniões I. Cox, Mary-Ann. II. Título III. Série

01-0359   CDD-261:8344

Índices para catálogo sistemático:
1. Encontro de mulheres: Ministério cristianismo 261:8344
2. Mulheres: Encontros: Ministério cristianismo 261:8344

DEDICATÓRIA

Dedicado à memória de Marge Wyrtzen,
mãe e avó criativa, caprichosa, corajosa.

SUMÁRIO

Apresentação.. 11

Prefácio.. 13

Introdução... 15

Parte 1. Planejando um chá................................ **18**

101 ideias criativas para chás.......................... 25

Parte 2. Encontros... **28**

1. Lembranças 31
2. A colher branca................................. 32
3. Surpresa numa caixa 32
4. Para dizer a verdade 32
5. Se eu pudesse estar............................ 33
6. Espada... 34
7. Eu vou viajar e vou levar..................... 34
8. Soletrando... 35
9. Em busca de assinaturas 36
10. Você vale muito................................. 38
11. Feitiço contra o feiticeiro.................... 39
12. Não cruze 39
13. Verdadeiro ou falso............................ 40
14. Garrafa de graça................................ 42
15. Situações.. 42
16. Gravador oculto 44
17. Chá de correio 44
18. Quem está envergonhada? 45

Parte 3. Chás de cozinha 48

19. Enfeites do passado 51
20. Chá de Natal 52
21. O primeiro beijo 52
22. Qualidades da noiva 53
23. Troca de histórias 53
24. Esta é a sua vida 54
25. Rodízio de oração 54
26. Contando os dias 55
27. Chá feio 55
28. Chamada bíblica 56
29. Vestindo a noiva 57
30. Chá de temperos 57
31. Receitas de amor 58
32. Bolo de memória 59
33. O nariz sabe 59
34. Enfeitando o bolo 60
35. Sinais dos tempos 60
36. Querido, benzinho 61
37. C-A-S-A-R 61
38. Árvore da riqueza 63
39. As respostas batem? 63
40. Casais de honra 64
41. Caça-palavras 64
42. Rimas românticas 65
43. Sons românticos 66
44. Em busca de roupas 67
45. Cápsula do tempo 67
46. Pendurando conselhos 68
47. Você conhece a noiva? 68
48. Multidão de conselheiras 70
49. Vinte perguntas 71
50. Aproveite ao máximo o matrimônio 71
51. Concurso de flores 72
52. "Fui a um casamento..." 74
53. Telegrama 74

54. Prestações mensais 75
55. Tempestade "cérebro matrimonial" 76
56. Processional 76
57. Memórias 77
58. Utensílios estranhos 77
59. Lições objetivas 78
60. Parentesco 79

Parte 4. Chás de bebê 82

61. Chá de cupons 85
62. "Segurando" o bebê 86
63. Chá de fraldas 86
64. Fralda suja 87
65. Corrida de fraldas 87
66. Bolo de fraldas 88
67. Fraldinha no bebezinho 89
68. Chá congelado 90
69. Fotos infantis 90
70. Instituto relâmpago de puericultura 91
71. Ajuda na cozinha 91
72. A armadura de Deus 92
73. Melodias em sintonia 93
74. Vestindo o bebê 94
75. Multidão de conselheiras 95
76. Caça-palavras 96
77. Grandes expectativas[3] 96
78. Papai sabe melhor 98
79. Cegonhas no bolo 98
80. As respostas batem? 99
81. Querido bebê 99
82. Lembranças palpáveis 100
83. Recordações 101
84. Álbum de memórias 101
85. Adivinhe os dados 102
86. Provinha sobre a mamãe 102
87. Retratos do bebê 103

88. Entrevista... 104
89. Adivinhe a barriga da mamãe............................ 104
90. Escreva a legenda... 104
91. De A a Z... 105
92. Escolhendo o nome certo................................. 105
93. Herdeiro-glíficos 106
94. A primeira consulta 108
95. N-E-N-É-M 108
96. Memórias 109
97. Água, sabonete e toalha 110
98. Retrato rasgado... 111
99. Correndo para o hospital.................................. 111
100. Os dez mandamentos da maternidade............. 112
101. Tempo de espera.. 114

Parte 5. Apêndice: Devocionais...................... **116**
1. Viver a vontade de Deus.................................... 118
2. O acróstico da mulher virtuosa........................... 123
3. O papel da mulher no lar e na igreja................... 125
4. Fidelidade no casamento................................... 128
5. O temor do Senhor na família cristã 131
6. O seminário do lar 133
7. Filhos, herança do Senhor 135
8. Os pais e a plenitude do Espírito 137
9. Tesouros 140
10. Superando a amnésia espiritual 142

Notas.. 144

APRESENTAÇÃO

Nunca participei de um encontro de mulheres e, para ser bem sincero, não anseio estar presente em algum no futuro. Naturalmente, pelo simples fato de eu não ser mulher! Mas, se eu tivesse de participar de um encontro de mulheres, tenho certeza de que escolheria uma reunião preparada pela minha esposa ou pela minha sogra. Por vários anos tenho ouvido os comentários de mulheres (e até dos seus maridos, meus amigos!) sobre os chás que minha esposa e minha sogra têm planejado. São sempre eventos inesquecíveis, edificantes e desafiadores, além de divertidos. Por isso, tantas mulheres (líderes cristãs, esposas de pastores e seminaristas, entre outras) as têm procurado para receber orientação sobre como dirigir um encontro de mulheres.

Com o lançamento de 101 Ideias criativas para mulheres, a minha escolha não precisará ficar restrita aos chás dirigidos pela minha esposa ou pela minha sogra (embora eu as ame de todo o meu coração!). De agora em diante, poderei incluir entre as minhas opções também aquela reunião planejada por você que já tem ao seu dispor um arquivo de ideias criativas e práticas – tudo aquilo de que precisa para seu próximo encontro ou chá.

Pr. David Merkh
Professor do Seminário Bíblico Palavra da Vida

PREFÁCIO

"Socorro! Preciso planejar um chá! Você tem algumas ideias que possam me ajudar?"

Quantas vezes temos recebido pedidos semelhantes. Em grande parte, foram esses pedidos, às vezes desesperados, que nos motivaram a escrever um livro sobre o assunto. 101 Ideias criativas para mulheres visa a suprir uma necessidade sentida bem de perto pelas mulheres que já se viram às voltas com o planejamento de um chá ou outro tipo de encontro. Cientes da importância dos "chás" como marca na vida de tantas mulheres, gostaríamos de compartilhar com a Igreja brasileira as ideias que compilamos durante os muitos anos em que participamos de encontros de mulheres ou tivemos oportunidade de planejá-los. Se a nossa experiência for útil para dinamizar algumas reuniões, se contribuir para que um encontro seja particularmente edificante, se puder estimular uma valorização ainda maior da importância bíblica do nosso papel como esposas e mães, então nosso trabalho terá sido ampla e ricamente recompensado.

Que Deus use o terceiro volume de 101 Ideias criativas para mulheres para fortalecer lares, melhorar a comunhão entre mulheres, atrair a Cristo amigas descrentes, e tornar o seu próximo chá de cozinha ou chá de bebê um encontro inesquecível.

Atibaia, SP,
Carol Sue Merkh
e Mary-Ann Cox

INTRODUÇÃO

Todas nós temos potencial para ser criativas, até mesmo aquelas que garantem não ter sequer uma gota de criatividade. Formadas à imagem do Deus CRIADOR do universo, temos capacidade de criar. O que nos falta, muitas vezes, são ideias que nos estimulem.

Nem sempre temos um conceito correto de "criatividade". Ao contrário da opinião popular, criatividade não significa dar à luz algo inédito. O sábio autor de Eclesiastes já nos alertou: "não há nada novo debaixo do sol" (Eclesiastes 1:9). Certa vez, um professor afirmou que "criatividade é a arte de esconder suas fontes". Em certo sentido ele tinha razão, pois muito do que passa por "criativo" em nossos dias nada mais é do que uma combinação nova de fatos velhos.

Escolhemos definir "criatividade" como sendo "a arte de gerar ideias novas a partir de conhecimento e experiência prévios". Este livro tenciona ser uma fonte de conhecimento e experiência prévios, na esperança de que você possa desenvolver as suas próprias ideias, adequando-as à realidade do seu círculo de amigas e colegas.

Duvidamos de que alguma das ideias aqui reunidas seja inteiramente nova. Mas também duvidamos de que algumas delas já tenham sido apresentadas exatamente como nós a trazemos até você. Somando os anos da nossa participação em encontros de mulheres, há cerca 60 anos de experiência arquivados nestas páginas. Ao longo desses anos, é quase certo que esquecemos a origem de algumas ideias. Mas gostaríamos de agradecer a todas que nos ajudaram a reunir e a divulgar esta coleção prática dirigida às mulheres da igreja brasileira.

Não pretendemos oferecer uma lista exaustiva de ideias para "chás". Seria impossível fazê-lo! Fornecemos, porém, algumas ideias já testadas que podem estimular a criatividade daquelas que tiverem coragem suficiente para programar algo um tanto diferente para o próximo encontro que forem dirigir.

101 Ideias Criativas
para mulheres

Nas próximas páginas, você vai encontrar algumas diretrizes básicas para o bom funcionamento do seu chá. Esses princípios estão em forma de esboço para que você possa aproveitá-los como *checklist* antes da reunião.

Adiante, alistamos ideias para encontros. São ideias apropriadas para quase qualquer tipo de reunião de mulheres e podem ser adaptadas conforme o tema de cada ocasião.

Ideias para chás de cozinha e de bebê ocupam a maior parte do livro. Muitas incluem a seção Compartilhar – talvez a contribuição singular deste livro, pois oferece sugestões para devocionais e estudos bíblicos que podem fazer parte da programação. É importante ressaltar que não incluímos essa seção para tentar "espiritualizar" as ideias. Não se sinta obrigada a usá-la, caso não queira. Cremos, porém, que é possível tirar proveito do ambiente criado pelas atividades aqui sugeridas para gravar verdades bíblicas preciosas no coração das participantes.

Terminamos o livro com um apêndice dirigido às mulheres que precisam de ajuda no preparo de devocionais e estudos, incluindo uma série de esboços e sugestões práticas.

Acima de tudo, desejamos que este livro sirva como incentivo à sua criatividade, resultando na edificação do lar cristão e da igreja, para a glória de Deus.

PARTE 1

Planejando um chá

Quente ou gelado, o chá é uma bebida deliciosa. E há vários motivos para se planejar uma reunião quando podemos saboreá-lo. Aqui vão algumas sugestões para que tudo corra bem no próximo encontro que você for planejar e liderar.

Passos a tomar

1. Decida como melhor aproveitar, de forma graciosa, os recursos disponíveis (espaço, utensílios, decoração etc.) usando sua experiência e criatividade.

2. Prepare o convite, fornecendo informações quanto ao horário, local e traje. Dependendo da ocasião, você deve indicar se será um encontro formal ou descontraído. Inclua, quando apropriado, dados sobre aquilo que cada convidada deverá levar – presentes para a homenageada, por exemplo.

3. Avalie o seu orçamento para determinar o tipo de alimento a ser servido. Considere também a ocasião, o clima e as habilidades no preparo do cardápio:

- Não tente fazer coisas complicadas. Escolha receitas que possam ser preparadas com antecedência, para não deixar tudo para a última hora.

- Se o grupo for grande, prefira usar pratos e copos descartáveis, ou sirva doces e salgadinhos em guardanapos.

- Planeje a comida considerando o sabor, a aparência e a consistência do que vai servir, adequando-os ao grupo que você receberá para o chá.

4. Faça uma lista das providências a serem tomadas antes do dia do chá:

- Planeje o programa conforme o objetivo do encontro – música especial, testemunhos, palestras, brincadeiras etc.

- Verifique quem pode ajudá-la e convide auxiliares.

- Determine tudo quanto será necessário e deixe em condições de uso: toalha de mesa, louça, decoração, material para as atividades.

O dia do encontro

1. Traje
Escolha uma roupa adequada e confortável, de acordo com a orientação de traje dada às convidadas.

2 Decoração
Use a imaginação para tornar o ambiente acolhedor, preferindo flores, folhas, frutas e objetos que contribuam para o bem-estar. Avalie bem o risco de utilizar peças raras ou de estimação. Pode haver constrangimento, caso um acidente leve à perda de alguns desses objetos.

101 Ideias Criativas

para mulheres

3. Arrumação da mesa

A mesa deve estar pronta quando as convidadas chegarem. No caso de receber um grupo grande, arrume de tal maneira que cada uma possa servir-se à mesa:

- Os talheres ficam dispostos ao lado dos guardanapos.

- As xícaras, com as colheres nos pires, são colocadas perto do chá.

- Os copos devem estar junto ao ponche de frutas ou chá gelado caso você esteja oferecendo essas bebidas.

- O bule ou a garrafa térmica com água quente fica junto aos saquinhos de chá (de um só tipo ou variados).

- Os salgadinhos são dispostos em pratos, seguidos dos doces e do bolo.

> **DICA:**
> Para evitar demora no serviço, os dois lados da mesa podem ser arrumados de forma igual.

4. Observações de última hora

- O banheiro está limpo? Há toalha, papel higiênico e sabonete?

- A sala foi arrumada com cadeiras suficientes?

- Há lugar para guardar casacos, guarda-chuvas e bolsas?

A hora do encontro

1. Esteja pronta na hora certa; não só você, mas a casa e a comida também.

2. Receba as visitas à porta. Guarde as bolsas e acompanhe as pessoas à sala, fazendo as devidas apresentações quando necessário.

3. Desenvolva a programação conforme planejado.

4. É hora de comer. Esteja atenta para que os pratos não fiquem vazios à mesa. Tenha uma quantidade suficiente de alimentos na cozinha para repor na hora necessária, até que todas as convidadas estejam servidas.

5. Despeça-se das convidadas demonstrando alegria pela participação. Quando oportuno, entregue alguma literatura evangélica àquelas que ainda não são crentes.

6. Convoque suas auxiliares para a limpeza final. Proporcione para que esse trabalho seja feito com disposição, sob os efeitos das boas coisas que aconteceram na reunião. Esteja atenta para que os fatos desagradáveis ou comentários desfavoráveis não se tornem o centro da conversa durante essa atividade final.

Se vale a pena fazer um chá, ele deve ser bem feito! É necessário muito planejamento e também muito trabalho, mas você terá a satisfação de saber que fez o melhor possível.

101 Ideias Criativas para mulheres

101 IDEIAS CRIATIVAS PARA CHÁS

As ideias que reunirmos podem ser usadas de várias maneiras. Algumas são especialmente úteis como "quebra-gelo", no início do encontro, para estabelecer um ambiente caloroso e promover maior comunhão entre as convidadas. Outras servem para provocar reflexão e são apropriadas para a parte mais séria da reunião. Algumas ideias simplesmente visam à diversão, mas sempre mantendo em mente o tema principal do encontro.

Que Deus dinamize a sua próxima reunião através de algumas destas ideias criativas.

PARTE 2

ENCONTROS

Encontros

Observe que a maioria das ideias que apresentamos nesta seзro pode ser adaptada para diferentes tipos de reuniro. Vocк pode variar nos enfeites, nas perguntas, nos textos bнblicos, nos objetos utilizados em cada atividade, adequando-os ao tema. Use a sua criatividade.

1 LEMBRANÇAS

Material necessário: um presente que todas possam assinar e que fique como lembrança do chá para a homenageada.

Procedimento: antes ou durante o chá, peça a todas as convidadas que assinem o presente. Alguns exemplos de "presente-lembrança":

- Colcha de retalhos (cada quadrado preparado por alguém).
- Avental (assinado com caneta insolúvel).
- Tábua de cortar legumes (escreva com pirógrafo).

2 A COLHER BRANCA

Material necessário: colheres de metal ou de plástico colorido, uma colher branca de plástico, história ou artigo relacionado com o tema do encontro, prêmio.

Procedimento: distribua as colheres, sendo que uma das participantes deve receber a colher branca. Convide alguém para ler a história. Casa vez que for lida uma palavra que comece com uma letra predeterminada (por exemplo, "B"), todas devem passar a colher para a pessoa à direita. Quem ficar com a colher branca no final recebe um prêmio.

3 SURPRESA NUMA CAIXA

Material necessário: caixa bem grande, enfeitada de acordo com o tema.

Procedimento: convide uma amiga chegada da homenageada, alguém de longe e que não a tenha encontrado há bastante tempo, para participar do chá. Ela deve se esconder dentro da caixa enfeitada. Esse "presente" deve ser aberto logo no início do chá, para que não fique muito abafado lá dentro! Registre o momento do encontro através de fotos.

4 PARA DIZER A VERDADE

Procedimento: cada convidada deve compartilhar com o grupo dois fatos interessantes e pouco

101 Ideias Criativas
para mulheres

conhecidos da sua vida, sendo apenas um deles verdadeiro. A pessoa sentada à direita deve adivinhar qual é o fato real. Continue até que todas tenham compartilhado. É uma ótima oportunidade para que amigas se conheçam mais de perto.

Compartilhar: a importância do conhecimento mútuo para "nos estimularmos ao amor e às boas obras" – Hebreus 10:24,25.

5 SE EU PUDESSE ESTAR...

Material necessário: uma folha de papel e uma caneta para cada convidada.

Procedimento: escreva o nome de cada pessoa presente no alto de uma folha de papel e faça uma dobra para escondê-lo. Distribua as folhas, estando atenta para que ninguém receba uma folha com o seu próprio nome, e peça a cada participante que escreva o nome de um lugar onde gostaria de estar naquele momento ("num navio", "numa árvore", "na praia" etc.). Cada uma deve dobrar a sua folha novamente para esconder tanto o nome quanto o lugar, e passar o papel para a pessoa à direita. Todas devem escrever agora uma atividade que gostariam de estar praticando no momento ("dormindo", "namorando", "assistindo a um filme" etc.). A folha deve ser dobrada e passada para a pessoa à direita. Todas vão escrever o nome de uma pessoa com quem gostariam de estar naquele momento (com...). Os papéis devem ser dobrados e passados mais uma vez para a pessoa à direita. Finalmente, devem ser desdobrados pelas pessoas que os receberam por último e lidos em voz alta para que se descubra o "desejo do coração" de cada pessoa presente. O resultado vai produzir boas risadas!

6 ESPADA

Material necessário: Bíblias suficientes para todas as convidadas. Uma boa ideia seria avisá-las para que tragam suas Bíblias. Providencie também algumas de reserva.

Preparativos: prepare uma lista de textos e versículos que falem sobre o tema da reunião. Alguns textos para chás de cozinha: 1Pedro 3:1; Provérbios 12:4; Efésios 5:22; Provérbios 31:10; 1Timóteo 2:15; Provérbios 19:14; Colossenses 3:18; 1Pedro 3:3,4; 1Timóteo 5:9,10; 2Timóteo 4:4,5; Provérbios 31:1,2; Gênesis 2:24; 1Coríntios 7:3.

Alguns textos para chás de bebê: Efésios 6:4; Colossenses 3:21; Salmos 78:3,4; Salmos 127:3; Provérbios 4:3,4; Salmos 128:5,6.

Procedimento: divida o grupo em times. As participantes devem suspender suas "espadas" (Bíblia) ao ar enquanto você vai citar a referência de um dos versículos, verificar que todas tenham entendido e falar "1-2-3-já!". Todas devem procurar o texto. Quem achar primeiro pode se levantar e ler em voz alta, ganhando um ponto para o seu time. Cada integrante do time pode responder uma só vez, para que todas tenham oportunidade de participar.

Compartilhar: escolha para a devocional um dos textos utilizados na atividade.

7 EU VOU VIAJAR E VOU LEVAR...

Procedimento: escolha uma palavra-senha relacionada ao tema do encontro. Repita a frase "eu vou viajar e vou levar...", completando com um número de palavras igual ao número de letras da palavra-senha e escolhendo palavras que comecem cada uma com uma das letras da palavra-senha. Por exemplo, se "a-m-o-r" é a palavra-senha, você pode falar: "Eu vou viajar e vou levar arroz, macarrão, orégano e refrigerantes" ou "Eu vou viajar e vou levar abacates, maçãs, ovos e requeijão". Continue até que alguém possa identificar o segredo. A participante que descobrir o mecanismo da brincadeira deve falar: "Eu vou viajar e vou levar...", completando adequadamente segundo a palavra-senha que você está utilizando. Se estiver correto, diga: "Muito bem, você pode viajar!". Prossiga até que todas descubram o segredo.

8 SOLETRANDO

Material necessário: cópias da lista de palavras, canetas, prêmio.

Preparativos: escolha palavras relacionadas ao tema do encontro e escreva-as numa folha de papel, com as letras misturadas. Providencie uma cópia xerox para cada convidada.

Exemplo para um chá de cozinha:	
loxaven	enxoval
evu	véu
sorlef	flores
tosvo	votos
toscniev	convites
ailaçan	aliança
nipahodr	padrinho
esterpens	presentes
lobo	bolo
hnamrdia	madrinha
atral	altar
erdticão	certidão

Procedimento: cada participante deve tentar decifrar as palavras. A pessoa que primeiro devolver a lista corrigida recebe um prêmio.

Compartilhar: "Pondo ordem em nossas vidas (prioridades)" – Mateus 6:19-34.

9 EM BUSCA DE ASSINATURAS

Material necessário: um lápis e uma cópia de uma lista semelhante à do modelo a seguir para cada participante. Escolha itens de acordo com as características de suas convidadas e o tema do encontro.

1. É avó _____
2. Tem carteira de motorista _____
3. Gosta de requeijão _____
4. Joga basquete _____
5. Não gosta de peixe _____
6. Conhece os Estados Unidos _____
7. Faz pão em casa _____
8. Tem duas irmãs e um irmão _____
9. Já esteve em quatro países _____
10. Sua cor predileta é verde _____
11. O marido lavou a louça do almoço _____
12. Gosta muito de pizza _____
13. Já visitou Foz do Iguaçu _____
14. Gosta de fazer tricô _____
15. É casada há mais de 25 anos _____
16. Tem um alfinete na bolsa _____
17. Tem mais de três filhos _____
18. O marido tem menos de 25 anos _____
19. Já cantou um solo na igreja _____
20. Já andou a cavalo _____

Procedimento: entregue a folha no momento em que as convidadas estiverem chegando e peça-lhes que conversem umas com as outras em busca de pessoas que preencham os itens relacionados na lista. Cada pessoa presente na sala pode ter o nome anotado uma só vez em cada lista, inclusive a própria dona da lista. Depois de um período de tempo predeterminado, compartilhe os resultados e dê um prêmio à pessoa que tiver o maior número de espaços preenchidos.

Compartilhar: a importância do conhecimento mútuo para "nos estimularmos ao amor e às boas obras" – Hebreus 10:24,25.

10 VOCÊ VALE MUITO

Material necessário: folhas de papel e canetas, lista de itens semelhante à do exemplo a seguir, gabarito de pontos, prêmios.

Procedimento: distribua as folhas de papel e as canetas. Leia os itens que constam da sua lista e peça que cada convidada os anote, fazendo uma marcação ao lado daqueles que ela preenche. Quando todas tiverem terminado, explique que cada item vale um número de pontos e forneça um gabarito para a contagem. Acompanhe a soma dos pontos, apure os resultados e distribua os prêmios.

Exemplo:

Número de botões na roupa	1 ponto cada
Tem olhos azuis	2 pontos
Tem cabelos crespos	2 pontos
Está calçando sapatos brancos	5 pontos
Lavou a louça antes de sair para o chá	10 pontos
Está usando brincos	4 pontos
Beijou o marido antes de sair	25 pontos

Compartilhar: "O nosso valor em Cristo: O homem interior" – 1Pedro 3:1-4

11 FEITIÇO CONTRA O FEITICEIRO

Material necessário: uma folha de papel e uma caneta para cada participante.

Procedimento: todas devem escrever em uma folha de papel algo que desejam que a homenageada faça em frente das demais, sem esquecer de assinar em baixo. Os papéis devem ser recolhidos e o "feitiço vira contra o feiticeiro": cada uma deve fazer o que escreveu!

VARIAÇÃO

As participantes devem se dirigir não só à homenageada, mas a qualquer pessoa presente, indicando o nome da pessoa e assinando o pedido. A anfitriã deve recolher as folhas e fazer o feitiço virar contra o feiticeiro: "A Sandra está pedindo a Marta que ela..., mas a Sandra é quem vai demonstrar como fazer!".

Compartilhar: compartilhem sobre as implicações e aplicações de Mateus 7:12.

12 NÃO CRUZE

Material necessário: prendedores de roupa em número suficiente para entregar quatro para cada participante; prêmio.

Procedimento: à chegada, entregue quatro prendedores de roupa às participantes e oriente-as para que os prendam em sua roupa. Explique que elas não podem mais cruzar suas pernas e/ou braços durante o resto do encontro, ou num período de tempo que você vai indicar (exclua o período devocional para evitar distrações). Durante a reunião, se alguma participante perceber que outra cruzou as pernas e/ou os braços, deve pedir que ela lhe entregue um dos seus prendedores de roupa. No final do chá, a pessoa com maior número de prendedores fixados em sua roupa recebe um prêmio.

Compartilhar: "Maus hábitos que podem dificultar relacionamentos" – Efésios 6:4; Colossenses 3:21. Aplique os textos ao casamento, ao relacionamento entre mães e filhos ou a outro tema.

13 VERDADEIRO OU FALSO

Material necessário: três folhas de papel com a palavra "verdadeiro" e uma com a palavra "falso".

Procedimento: escolha quatro participantes, proporcione para que se sentem em lugares de destaque na sala e distribua entre elas as quatro folhas, pedindo que não as mostrem às demais. As convidadas devem formular uma pergunta e dirigir essa mesma pergunta às quatro escolhidas, permitindo que cada uma delas responda. As respostas devem seguir a indicação contida no papel – "verdadeiro" ou "falso": a pessoa que tem o papel "falso" deve responder à pergunta com uma mentira, usando a sua imaginação para inventar uma história que pareça verdadeira, embora falsa, enquanto as outras três devem responder de forma correta. Quando todas tiverem respondido, as convidadas devem votar para escolher quem foi a mentirosa. Continue com o mesmo grupo por algumas rodadas, misturando apenas os papéis, ou troque as participantes após cada pergunta.

Algumas sugestões para as perguntas:

- O que você mais gostaria de comprar?
- Qual foi o dia mais romântico da sua vida?
- Conte uma gracinha do seu filho.
- Qual a maior vergonha que você já passou?
- Conte uma lembrança da sua infância.
- O que aconteceu naquele dia inesquecível?
- Qual a maior alegria que você já teve?
- Conte sobre um passeio frustrado.
- Como foi o primeiro beijo?
- Qual o maior susto que você já levou?

Compartilhar: "Falando a verdade em amor" – Efésios 4:15,25.

14 GARRAFA DE GRAÇA

Material necessário: uma garrafa de refrigerante (ou uma mamadeira se for um chá de bebê).

Procedimento: esta "brincadeira" de encorajamento é simples, mas muito edificante.

Quando todas as convidadas estiverem sentadas ao redor da sala, coloque a garrafa no centro, deitada no chão. Dê início à atividade, fazendo a garrafa girar rapidamente. Quando ela parar, estará apontando para alguém e você deverá dirigir uma palavra de encorajamento àquela pessoa. A convidada indicada pela garrafa terá então a tarefa de girá-la e falar palavras de estímulo quando ela parar. Continue até que todas tenham participado.

Compartilhar: "Palavras de graça edificam" – Efésios 4:29.

15 SITUAÇÕES

Material necessário: folhas de papel e canetas, álbum.

Procedimento: cada pessoa recebe uma folha de papel, uma caneta e a tarefa de imaginar uma situação ou desafio em que a homenageada irá precisar de uma solução prática. Além de anotar a situação na folha, deve sugerir uma solução – um conselho prático para superar aquele obstáculo. Todas devem compartilhar as situações e suas respostas com a homenageada, que irá guardar as folhas num álbum.

101 Ideias Criativas

para mulheres

Exemplos de situações para um chá de cozinha:

- O marido aperta o tubo de pasta de dente perto da tampa.
- Você queimou o almoço dois dias em seguida.
- A sua sogra liga todos os dias para o seu marido.

Para um chá de bebê:

- O bebê acorda toda noite de hora em hora.
- Seu marido se recusa a trocar as fraldas do bebê.
- Você precisa fazer uma viagem longa com o bebê.

VARIAÇÃO

Cada participante recebe duas folhas de papel: uma para escrever o problema e outra para a solução. Dobre os papéis e coloque todos os problemas numa cesta e as soluções em outra. Misture bem. Deixe a homenageada "pescar" um problema, ler em voz alta, e depois "pescar" uma solução na outra cesta. Será muito engraçado.

Compartilhar: "A multidão de conselheiras" – Provérbios 15:22. "A resposta está em Cristo" – 2Pedro 1:3.

16 GRAVADOR OCULTO

Material necessário: gravador

Preparativos: esconda o gravador na sala, de preferência perto da homenageada.

Procedimento: em momentos oportunos, por exemplo, enquanto a homenageada está abrindo os presentes, ligue o gravador e registre os comentários dela e das demais pessoas presentes. No final do encontro, entregue a fita a ela como lembrança do chá.

Compartilhar: "Palavras mal proferidas" – Mateus 12:36,37.

17 CHÁ DE CORREIO

Material necessário: uma caixa grande, que possa ser enviada pelo correio (verifique com antecedência as especificações numa agência de correio).

Preparativos: se a homenageada estiver distante, envie um "chá" pelo correio! Peça a contribuição de suas amigas para juntar todos os "ingredientes" necessários para um chá de cozinha, de bebê, ou outro (suco em pacotes ou chá, ingredientes para preparar o lanche, presentes, enfeites etc.).

Procedimento: reúna as amigas para arrumarem a caixa. Cada participante pode incluir um bilhete pessoal e, como grupo, vocês podem juntar uma foto

101 Ideias Criativas

para mulheres

ou fita gravada. Envie também instruções sobre como proceder no chá e ideias para o evento.

Compartilhar: "Boas novas de uma terra distante" – Provérbios 25:25.

18 QUEM ESTÁ ENVERGONHADA?

Material necessário: folhas de papel e canetas, caixa (ou panela se for um chá de cozinha).

Procedimento: distribua as folhas de papel e as canetas. Peça que cada pessoa descreva um momento de sua vida em que ficou envergonhada ou em que algo bastante estranho aconteceu a ela. Coloque todas as folhas numa caixa, e leia uma a uma, enquanto o grupo tenta adivinhar a pessoa que passou pela experiência descrita.

Compartilhar: "Sem envergonhar-se do evangelho" – Romanos 1:16.

ANOTE AQUI AS SUAS PRÓPRIAS IDEIAS...

ANOTE AQUI AS SUAS PRÓPRIAS IDEIAS...

PARTE 3

CHÁS DE COZINHA

Reunimos aqui as ideias que julgamos especialmente apropriadas para um chá de cozinha. Muitas delas podem ser facilmente adaptadas para um chá de bebê ou para outras ocasiões. Aproveite--as bem, acrescentando sua própria criatividade, e o resultado será um encontro inesquecível para todas!

19 ENFEITES DO PASSADO

Material necessário: lembranças da infância e da juventude da noiva.

Preparativos: entre em contato com a mãe da noiva, pedindo que empreste objetos que recordem a infância ou a juventude de sua filha.

Exemplos:	
Ursinho	Cobertor de berço
Desenhos	Vestido de criança
Brinquedos	Boneca predileta

Procedimento: divida a vida da noiva em etapas – infância, primeiros anos de escola, adolescência, anos de faculdade etc. – e utilize os objetos representativos de cada período para decorar pequenos ambientes na sala. Durante o chá, conduza a noiva através dos vários ambientes, a partir da infância, e a cada etapa dê oportunidade para que alguém compartilhe lembranças daquela época.

Compartilhar: "Desistindo das coisas de menina" – 1Coríntios 13:11-14.

20 CHÁ DE NATAL

Material necessário: enfeites, pratos natalinos.

Preparativos: decore a sala e a mesa de acordo com o tema "Natal". Peça às convidadas que tragam presentes que sejam úteis para o casal na época de Natal e Ano Novo.

Compartilhar: "A história de Natal na perspectiva de Maria" – Lucas 1:26-56; 2:1-20.

21 O PRIMEIRO BEIJO

Procedimento: peça à noiva que saia da sala sob algum pretexto (buscar algo, atender ao telefone etc.). Enquanto ela está ausente, explique ao grupo que todas devem ficar absolutamente quietas quando a noiva entrar na sala e esperar a reação dela.

101 IDEIAS CRIATIVAS

para mulheres

Explique então que a maneira como a noiva reagiu ao inesperado naquele momento indica como ela respondeu ao primeiro beijo. Haverá muita risada.

22 QUALIDADES DA NOIVA

Material necessário: folha de papel, caneta.

Procedimento: as convidadas devem estar sentadas em roda. A começar pela primeira à direita da noiva, peça a cada mulher que mencione uma qualidade que pôde observar na noiva. Se quiser, pode acrescentar alguma explicação ou dar um exemplo concreto quando a qualidade foi evidenciada. Uma secretária vai anotar tudo quanto for mencionado e entregar a lista à noiva. Termine com uma oração de gratidão pelas qualidades que Deus depositou naquela vida.

Compartilhar: "As qualidades da mulher virtuosa" – Provérbios 31:10-31.

23 TROCA DE HISTÓRIAS

Procedimento: dê oportunidade para que cada pessoa presente conte uma história (verdadeira!) sobre a noiva. Provavelmente algumas histórias da infância serão novidades até para ela.

Compartilhar: "As coisas que ficaram para trás" – Filipenses 3:13.

24 ESTA É A SUA VIDA

Material necessário: recortes de revistas ou jornais; cola ou fita adesiva; álbum para colocar os recortes ou papel suficiente para montar um álbum.

Preparativos: antes da reunião, peça que algumas amigas selecionem várias ilustrações que possam representar eventos da vida da noiva. Reúna o material num álbum.

Procedimento: no decorrer do chá, uma das participantes deve ilustrar os eventos marcantes da vida da noiva, página por página, através do álbum.

VARIAÇÃO

Os recortes podem ser selecionados pelas convidadas no início da reunião, como "quebra-gelo", e dispostos no álbum. Cada pessoa deve explicar a página que montou.

Compartilhar: "Prosseguindo para o alvo, sem olhar para trás" – Filipenses 3:14s.

25 RODÍZIO DE ORAÇÃO

Material necessário: uma lista de pedidos de oração elaborada pelo casal, abrangendo desde os preparativos para o casamento até os anos futuros (filhos, necessidades etc.).

Procedimento: separe um período para oração e distribua os pedidos entre as convidadas.

Compartilhar: "Orar sem cessar: vivendo o casamento na presença de Deus" – 1 Tessalonicenses 5:17.

26 CONTANDO OS DIAS

Material necessário: papel colorido cortado em faixas, canetas, Bíblias, cola ou fita adesiva.

Preparativos: cada convidada deve escolher com antecedência um versículo de encorajamento para a noiva. Arrume sobre uma mesa as faixas de papel, as canetas e as Bíblias.

Procedimento: à chegada, oriente as convidadas para que escrevam seu versículo e nome numa faixa de papel. Reúna as faixas e cole-as, formando elos de uma corrente. O número de elos deve corresponder ao número de dias que antecedem o casamento. Ainda durante o chá, a noiva deve tirar o primeiro elo da corrente e ler o versículo e o nome da "autora". Os demais elos serão abertos um a cada dia, até o casamento.

Compartilhar: "Laços de amor" – Oseias 11:4.

27 CHÁ FEIO

Esta ideia é particularmente útil quando a noiva já recebeu presentes em outros encontros, mas há um grupo de amigas que ainda gostariam de organizar um chá.

Preparativos: peça a cada convidada que traga um item necessário para o lar, mas que seja "feio".

Exemplos:	
Lata de lixo	Vassouras
Panos de limpeza	Papel higiênico
Objetos de banheiro	Esponjas

Compartilhar: "Satisfeitas com nosso papel no corpo de Cristo" – 1Coríntios 12:22-27.

28 CHAMADA BÍBLICA

Material necessário: folhas de papel com o nome da noiva, prêmio.

Procedimento: cada participante terá cinco minutos para lembrar de tantas personagens bíblicas quantas puder, cujos nomes comecem com as letras do nome da noiva. Dê um prêmio a quem reunir a maior quantidade de nomes.

	Exemplo:
T	Timóteo, Teófilo, Tércio...
A	Alexandre, Ana, André, Adão...
N	Nicodemos, Nabucodonosor, Natã, Neemias...
I	Isabel, Isaías, Isaque...
A	Absalão, Asa, Ananias...

Compartilhar: o texto hebraico de Provérbios 31:10-31 foi escrito em forma de poema acróstico, usando todas as letras do alfabeto em sua ordem.

Compartilhe sobre a mulher virtuosa, utilizando a paráfrase acróstica (veja Apêndice).

29 VESTINDO A NOIVA

Material necessário: papel higiênico ou jornal, tesouras, fita adesiva, máquina fotográfica.

Procedimento: separe as convidadas em quatro grupos e distribua o papel higiênico e a fita adesiva. Cada grupo deve confeccionar uma parte do vestido da noiva – véu, blusa, saia e cauda – completando a sua tarefa dentro de um tempo estipulado e sem ver o que os demais estão preparando. Esgotado o prazo, os grupos devem vestir a noiva com suas "criações". Certamente vão querer tirar fotos do resultado para guardar de lembrança.

Compartilhar: "Vestidas como noivas na justiça de Jesus" – Efésios 5:25-27.

30 CHÁ DE TEMPEROS

Preparativos: avise as convidadas sobre o tema do chá e peça-lhes que tragam temperos para a cozinha da noiva.

Procedimento: coloque os temperos num cesto decorativo e entregue-os à noiva.

Compartilhar: "Sendo 'sal' do mundo... e do lar" – Mateus 5:13.

31 RECEITAS DE AMOR

Material necessário: cópias do quadro conforme modelo a seguir, canetas.

	Tempero	Prato	Qualidade da noiva
A			
M			
O			
R			

Procedimento: entregue uma cópia do quadro a cada participante. Todas devem preencher os espaços com palavras que comecem pela letra indicada. As respostas devem ser compartilhadas, e as folhas entregues à noiva como lembrança.

Exemplo da tarefa completada:

	Tempero	Prato	Qualidade da noiva
A	alho	arroz	amorosa
M	mostarda	maionese	modesta
O	orégano	omelete	ordeira
R	raiz forte	risoto	respeitada

VARIAÇÃO

Entregue folhas com palavras diferentes, por exemplo, "alegria", "casar", "lar", "família".

Compartilhar: "Uma receita de amor" – 1Coríntios 13:3-7.

32 BOLO DE MEMÓRIA

Material necessário: ingredientes necessários para fazer um bolo e uma cozinha equipada.

Procedimento: no começo do encontro, peça à noiva que faça um bolo usando os ingredientes à sua disposição na cozinha, mas SEM RECEITA! Estipule um prazo para ela misturar sua própria "receita" e colocar no forno para assar. Na hora do lanche, todas poderão experimentar a nova receita feita "de memória" e comprovar a habilidade culinária da noiva.

Compartilhar: "A falha de memória no lar" – Deuteronômio 6:4-9.

33 O NARIZ SABE

Material necessário: papel, fita adesiva, seis a oito vidros com temperos diferentes, canetas, prêmio.

Preparativos: cubra os vidros de temperos com papel, ou utilize vidros foscos, de modo que o conteúdo não possa ser visto. Numere os vidros.

Procedimento: distribua as folhas de papel e as canetas entre as participantes. Cada pessoa deve cheirar os vidros de tempero, tentar identificá-los e

escrever suas respostas no papel, associando a cada número um nome. No final, dê as respostas certas e um pequeno prêmio à pessoa que conseguiu o maior número de acertos. Os temperos podem ser entregues à noiva.

Compartilhar: "Aroma triunfal em Cristo" – 2Coríntios 2:14-17.

34 ENFEITANDO O BOLO

Material necessário: folhas de papel, prêmio.

Procedimento: explique às convidadas que a noiva está tendo dificuldade para decidir sobre a decoração do bolo de casamento. Distribua as folhas de papel e peça a cada uma para criar um "bolo de casamento". A noiva deve então escolher o melhor "bolo" e entregar um prêmio a quem o criou.

Compartilhar: "Enfeitando a doutrina de Deus" – Tito 2:10.

35 SINAIS DOS TEMPOS

Preparativos: peça a cada convidada que traga um presente apropriado para uma hora do dia ou da noite designada de antemão.

Procedimento: cada pessoa deve entregar o seu presente, em ordem cronológica.

Exemplo:

Adriana	(5h)	Papel higiênico
Bete	(6h)	Acendedor de fogão
Carmem	(7h)	Café
Teresa	(8h)	Pasta de dente
Adriana	(9h)	Sacola para a feira

Compartilhar: "Remindo o tempo" – Efésios 5:16. "Tudo em seu tempo determinado" – Eclesiastes 3.

36 QUERIDO, BENZINHO...

Procedimento: explique às convidadas que é bem provável que o primeiro ano de casamento seja suficiente para que a noiva esgote o seu vocabulário romântico. Como amigas, elas podem ajudá-la a criar um "estoque" de termos de carinho para usar nos momentos oportunos. Cada participante vai sugerir um termo romântico e uma secretária deve registrá-los. Como não serão aceitos termos repetidos, todas devem estar prontas para criar um termo original.

Compartilhar: "Edificação mútua no lar" – Efésios 4:29; 5:22–6:4.

37 C-A-S-A-R

Material necessário: folhas preparadas conforme as instruções a seguir, canetas, prêmios.

Preparativos: para cada convidada, prepare uma folha conforme o exemplo a seguir, preenchendo os quadrados com palavras associadas ao casamento. Não pode haver folhas iguais, mas as palavras devem ser sempre as mesmas. Prepare, para o seu controle, uma lista de todas as palavras que você utilizou.

Procedimento: distribua as folhas e as canetas, e comece a ler a lista de palavras. Cada convidada deve marcar com um "X" o quadrado onde está a palavra mencionada. Quem completar cinco itens em ordem (horizontal, diagonal, ou vertical) recebe um prêmio. Continue até esgotar os prêmios.

Compartilhar: as palavras-chave do casamento: 'Eu te amo', 'Perdoe-me', 'Obrigada', 'Você em primeiro lugar'.

C	A	S	A	R
Enxoval	Altar	Convidados	Cerimônia civil	Pastor
Vestido	Noiva	Noivo	Convites	Dama de honra
Padrinhos	Presentes	X	Madrinhas	Cerimônia religiosa
Igreja	Recepção	Bolo	Flores	Alianças
Votos	Véu	Música	Pais	Lua-de-mel

38 ÁRVORE DA RIQUEZA

Material necessário: um galho sem folhas, representando uma árvore, plantado num balde ou lata com terra; presentes em dinheiro; cartões; barbante.

Procedimento: cada convidada deve ser avisada de que o presente para a noiva será uma "árvore da riqueza" e que deve trazer um envelope contendo uma quantia em dinheiro e um cartão de incentivo para o novo casal.

O dinheiro e os cartões devem ser pendurados na árvore no início do chá. Se quiser, pode enfeitar o bolo representando uma moeda.

Compartilhar: "Segredos de uma vida frutífera dentro do lar" – Salmo 1.

39 AS RESPOSTAS BATEM?

Material necessário: gravador.

Preparativos: Grave uma entrevista com o noivo, abordando o relacionamento do casal.

Exemplos de perguntas:

- Qual foi a primeira discussão do casal?
- Quantos filhos vocês querem ter?
- Onde e como vocês se encontraram? Qual foi a data?
- Quando ela realmente começou a gostar de você?

Procedimento: "Ao vivo", durante o chá, dirija à noiva as mesmas perguntas que foram feitas ao noivo. Após cada resposta da noiva, ouça a resposta do noivo.

Será interessante determinar se o casal está pronto para se casar!

40 CASAIS DE HONRA

Material necessário: cópias de uma folha contendo os nomes de 20 ou mais casais famosos, inclusive os do noivo e da noiva. Os nomes dos homens, acompanhados pelo sobrenome, devem estar à margem esquerda e os das mulheres, sem sobrenome, à margem direita do papel, fora da ordem certa.

Procedimento: distribua as folhas entre as convidadas para que juntem os casais. Dê um prêmio para quem conseguir o maior número de respostas corretas.

Compartilhar: "O que Deus juntou, não o separe o homem" – Mateus 19:6; Gênesis 2:24.

41 CAÇA-PALAVRAS

Material necessário: cópias do "Caça-palavras".

Procedimento: use essa atividade como "quebra-gelo" enquanto as convidadas estão chegando. À entrada, entregue a cada participante uma cópia do "Caça-palavras" para que ocupe o seu tempo antes do início oficial do chá.

```
E  M  A  R  I  D  O  E  P  W  F  A  B  E  U
S  E  E  G  A  L  I  A  N  Ç  A  P  I  Q  F
P  U  C  J  M  A  D  R  I  N  H  A  A  V  W
O  J  E  A  A  F  C  M  N  O  I  V  O  O  L
S  O  P  A  D  R  I  N  H  O  T  P  I  T  S
A  I  Ç  N  M  C  C  A  S  A  M  E  N  T  O
S  M  A  R  C  H  A  N  U  P  C  I  A  L  V
O  N  O  I  V  A  S  W  R  V  É  U  S  S  O
B  W  S  C  L  U  A  D  E  M  E  L  U  N  T
A  L  E  V  I  G  R  E  J  A  L  Q  W  C  O
D  A  M  A  D  E  H  O  N  R  A  B  I  N  S
```

GABARITO

Marido, mulher, noiva, noivo, casar, casamento, lua-de-mel, igreja, votos, aliança, véu, vela, padrinho, madrinha, dama de honra, marcha nupcial.

Compartilhar: "Buscar-me-eis e me achareis..." – Jeremias 29:13.

42 RIMAS ROMÂNTICAS

Material necessário: papel e lápis para cada participante.

Procedimento: todas as participantes devem escrever em sua folha quatro palavras que rimem (as quatro podem rimar, ou podem ser dois pares de palavras que rimem). Completada esta etapa, cada uma deve passar a sua folha à pessoa da direita. Com as palavras recebidas de sua vizinha, cada participante deve escrever um poema sobre a noiva.

Compartilhar: "Casamento: a rima de duas vidas" – Efésios 5:22-33.

43 SONS ROMÂNTICOS

Material necessário: gravador.

Preparativos: peça ao noivo que grave uma fita que será ouvida no decorrer do chá. Na gravação, ele deve contar a história de como o casal se encontrou, como o namoro começou, o que ela significa para ele, por que ele acha que ela será uma ótima esposa etc.

Procedimento: durante o chá, separe um momento para que todas ouçam a gravação. Será um momento emocionante para a noiva e talvez bastante engraçado.

Entregue a fita à noiva como recordação.

Compartilhar: "Eu sou do meu amado, e ele é meu: o amor romântico no lar" – Cântico dos Cânticos 2:16; 6:3; 7:10.

44 EM BUSCA DE ROUPAS

Material necessário: presentes trazidos pelas convidadas; roupinhas de papel colorido representando roupas do noivo e da noiva com "dicas" de vida prática no lar escritas no verso.

Procedimento: ao chegar, cada convidada deposita o seu presente numa pilha e ganha uma roupinha de papel para esconder na sala, discretamente para que a noiva não perceba. Quando chegar a hora de abrir os presentes, descreva à noiva a felicidade do casamento – até o primeiro dia em que ela e o marido não ouvirem o despertador e se atrasarem para o serviço. Explique que ela precisa ensaiar com antecedência para poder encontrar a roupa dela e do marido numa daquelas manhãs. Peça então à noiva que procure as roupinhas; ela precisa encontrar uma antes de cada presente que for abrir.

45 CÁPSULA DO TEMPO

Material necessário: vidro com tampa, folhas de papel, canetas, enfeites.

Preparativos: enfeite o vidro de acordo com o tema do chá.

Procedimento: entregue uma folha de papel a cada convidada, e peça que escreva uma mensagem ao casal, explicando que os bilhetes serão lidos somente no seu primeiro aniversário de casamento. Se preferir, coloque cada bilhete num envelope datado

– 1998, 1999, 2000... – para que a mensagem seja lida no aniversário daquele determinado ano. Pode ainda incluir na cápsula uma foto do grupo, recortes do jornal do dia etc. Uma boa ideia é entregar a cápsula à mãe da noiva para ajudar o casal a resistir à tentação de abrir antes da data especificada.

Compartilhar: "Memoriais da fidelidade de Deus" – Lamentações 3:22,23; Deuteronômio 6:4-9.

46 PENDURANDO CONSELHOS

Material necessário: um prendedor de roupa (de madeira) para cada convidada, canetas.

Procedimento: enquanto as convidadas estão chegando, entregue um prendedor de roupa a cada uma e peça que escreva seu nome em um dos lados e um conselho prático ou versículo bíblico no outro.

Compartilhar: cada participante deve compartilhar o seu conselho prático ou versículo com a noiva e depois entregar o prendedor como lembrança do chá e das palavras de sabedoria.

47 VOCÊ CONHECE A NOIVA?

Material necessário: um lápis e uma cópia do material a seguir para cada participante, prêmios.

Você conhece a noiva?
Responda às perguntas a seguir como se você fosse a noiva, colocando um círculo em volta da alternativa que ela escolheria.

101 Ideias Criativas

para mulheres

1. Onde você prefere passar a lua-de-mel: na Europa, nos Estados Unidos, nas praias do Nordeste, no Pólo Norte ou na Lua?
2. Você prefere morar na cidade, num condomínio fechado ou no campo?
3. Se ficasse em casa sozinha à noite, escolheria: ler um livro, costurar, assistir à televisão, ouvir música, escrever cartas ou espiar os vizinhos?
4. Qual a sua raça predileta de cachorro: pastor alemão, dobermann, poodle, vira-lata ou cachorro-quente?
5. Qual a sua cor predileta: azul, vermelho, amarelo, rosa, verde ou preto?
6. O que vocк mais gosta de ler: romance, histyria, jornal, revista feminina ou embalagem de sucrilhos?
7. O que você mais gosta de fazer: pescar, caminhar, andar a cavalo, caçar, consertar máquinas ou jogar futebol?
8. Que tipo de programa você mais gosta de assistir na televisão: novela, filme de horror, de mistério, comédia ou notícias?
9. Qual seria sua preferência para passar as férias: montanha, praia, uma vila histórica ou uma caverna?
10. Numa festa, o que você prefere beber: café, chá, refrigerante, ponche, leite, água ou "outro"?
11. Que tipo de comida você gostaria de aprender a cozinhar: italiana, francesa, chinesa, mexicana, americana ou caseira?
12. Se tivesse filhos gêmeos, qual seria a sua preferência: dois meninos, duas meninas ou um menino e uma menina?
13. Pensando no tamanho final da sua família, que tipo de veículo você gostaria de ter: moto, automóvel ou ônibus?
14. Qual o seu traje preferido para estar em casa: maiô, bermudas, camisola ou pijama, jeans, vestido informal ou vestido social?

15. O que mais a atrai: correr um quilômetro, nadar 500 metros. fazer ginástica por 30 minutos ou passar uma tarde com a sua sogra?

Procedimento: entregue a folha às convidadas e peça que sigam as instruções. A noiva também deve preencher uma folha. No final, convide a noiva a compartilhar as respostas certas, compare os resultados e dê prêmios para as pessoas com o maior número de acertos.

48 MULTIDÃO DE CONSELHEIRAS

Procedimento: peça às esposas que compartilhem suas experiências e ofereçam conselhos para enfrentar diferentes situações:

- A lua de mel.
- A primeira briga.
- Um momento romântico.
- Algo engraçado que aconteceu no primeiro ano de casamento.
- Um aniversário de casamento.
- A adaptação mais difícil.
- Uma surpresa no casamento.
- A provisão de Deus.

Uma boa ideia seria prevenir algumas esposas para que estejam preparadas para compartilhar sobre esses assuntos, caso haja uma pausa prolongada.

Compartilhar: "Coragem para pedir ajuda" – Provérbios 15:22.

49 VINTE PERGUNTAS

Material necessário: cópias de uma prova com vinte perguntas sobre a noiva e/ou sobre o casal, canetas, prêmio.

Procedimento: cada convidada deve responder à prova por escrito para descobrir o quanto ela realmente conhece o casal. Quando todas completarem, será vez da noiva responder às perguntas. Entregue um prêmio a quem acertar o maior número de questões.

Exemplo:

- Há quanto tempo o casal se conhece?
- Onde se encontraram?
- Quando ficaram noivos?
- Qual a comida predileta da noiva?
- Aonde o casal vai morar?
- Quantos filhos planejam ter?

50 APROVEITE AO MÁXIMO O MATRIMÔNIO[1]

Material necessário: papel e caneta para cada dupla.

Procedimento: fale sobre a importância de se aproveitar ao máximo o matrimônio. Distribua então o material e oriente as convidadas a trabalharem em duplas, visando aproveitar ao máximo a palavra "matrimônio". Em determinado intervalo de tempo, cada dupla deve formar o maior número possível de palavras com as letras de "M-A-T-R-I-M-Ô-N-I-O". As palavras valem pontos de acordo com o número de letras:

até 5 letras	1 ponto
6 letras	2 pontos
7 letras	3 pontos
8 letras	4 pontos
9 letras	5 pontos
10 ou mais letras	6 pontos

Acrescente um ponto para cada palavra relacionada a casamento.

Compartilhar: "Remindo o tempo" – Efésios 5:16.

51 CONCURSO DE FLORES

Material necessário: uma prova sobre "flores", conforme o modelo a seguir; prêmio.

Flores e mais flores
1. Faz o dia brilhar _____
2. Está entre as montanhas _____
3. Deveria estar num circo _____
4. Uma cor suave para uma camisola _____
5. Uma hora do dia _____
6. Uma mulher sem pudor _____
7. Um condimento na cozinha _____
8. O alvo do amor _____
9. Um nome de mulher _____
10. Uma bebida nutritiva _____

11. Um nome de homem _____
12. A morte não me atinge _____
13. Uma flor deprimida _____
14. Uma estação do ano _____
15. Estaria melhor num sanatório _____

Procedimento: explique que as flores fazem parte das cerimônias de casamentos desde tempos antigos. Cada participante deverá identificar as flores através dos enigmas. Vence quem conseguir o maior número de respostas certas.

GABARITO:

1. Girassol
2. Lírio-do-vale
3. Boca-de-leão
4. Rosa
5. Onze-horas
6. Maria-sem-vergonha
7. Cravo
8. Amor-perfeito
9. Hortênsia
10. Copo-de-leite
11. Jacinto
12. Sempre-viva
13. Malmequer
14. Primavera
15. Maria-louca

Compartilhar: "Sendo 'aroma' de Cristo" – 2Coríntios 2:14-17.

52 "FUI A UM CASAMENTO..."

Procedimento: forme uma roda e dê início à brincadeira dizendo "Fui a um casamento, e não tinha arranjos de flores" (algo que começa com a letra "A" e que é geralmente usado no casamento ou recepção). A pessoa à direita deve continuar, repetindo a mesma frase – "Fui a um casamento..." – e completando com algo que comece com a próxima letra do alfabeto. Por exemplo, "Fui a um casamento e não tinha bolo". Se alguém não conseguir preencher o espaço no tempo estipulado, é eliminado. Continue até que todos sejam eliminados. Esgotando o alfabeto, voltem à letra "A", mas mencionando novos itens.

Compartilhar: "Elementos indispensáveis no casamento" – 1Coríntios 13:4-8a.

53 TELEGRAMA

Material necessário: papel e caneta para cada convidada.

Procedimento: todas devem escrever os nomes do casal no sentido vertical. Ao lado de cada letra, devem completar com uma qualidade da pessoa.

Exemplo:

M	aravilhosa	J	ovem
A	morosa	O	timista
R	esponsável	S	impático
I	nteligente	E	nérgicos
A	legre		

Recolha os "telegramas" e entregue-os à noiva.

101 Ideias Criativas

para mulheres

54 PRESTAÇÕES MENSAIS[2]

Preparativos: escolha 12 presentes, cada um deles particularmente útil em um dos meses do ano, e arrecade entre as convidadas a quantia necessária para a compra. Providencie os presentes e embrulhe-os, anotando na embalagem o mês a que se referem.

Procedimento: esta ideia irá transformar o "chá" numa atividade para o ano inteiro, visto que os presentes serão entregues no dia do chá mas só serão abertos após o casamento, no primeiro dia de cada mês. A noiva terá uma lembrança mensal das suas amigas e a alegria de ganhar presentes durante um ano inteiro.

Algumas sugestões:

Janeiro	Agenda
Fevereiro	Sombrinha
Março	Arranjo de flores secas ou um enfeite para a casa
Abril	Cartões de aniversários para uso durante o ano todo
Maio	Um livro sobre casamento
Junho	Enfeites para o Dia dos Namorados
Julho	Cobertor ou manta
Agosto	Livro de receitas
Setembro	Sementes para começar uma horta
Outubro	Espetos para churrasco
Novembro	Jogo de cama ou banho
Dezembro	Enfeites de Natal

Compartilhar: "Tempo para tudo" – Eclesiastes 3:1-8.

55 TEMPESTADE "CÉREBRO MATRIMONIAL"

Material necessário: folha de papel e lápis para cada time, prêmio.

Procedimento: divida o grupo em times com cinco a sete elementos cada e entregue a folha de papel e o lápis. Conceda um minuto para que escrevam todas as palavras possíveis relacionadas com a cerimônia de casamento. Dê um prêmio ao time vencedor.

Compartilhar: repita a atividade, agora com cada time alistando qualidades essenciais para um bom casamento, inclusive textos bíblicos. Compartilhem as anotações.

56 PROCESSIONAL

Material necessário: rolos de papel higiênico.

Procedimento: divida o grupo em times até seis pessoas e entregue a cada time um rolo de papel higiênico. A primeira pessoa deve passar o papel em volta do seu pescoço três vezes, tendo cuidado para não rasgá-lo, e depois entregar o rolo para a próxima pessoa do time, continuando até que todos estejam unidos pelo papel. Estabeleça um ponto de partida,

101 Ideias Criativas

para mulheres

a certa distância de uma cadeira onde a noiva está sentada. Cada time deve ir até a noiva, desfilando sem rasgar o papel, e voltar ao ponto de partida. Cronometre e entregue um prêmio ao time mais rápido.

57 MEMÓRIAS

Procedimento: incentive a noiva a compartilhar durante a reunião algumas de suas "memórias". Perguntas que podem ajudar:

- Quando era menina, qual foi o nome do seu melhor amigo (rapaz)?
- Quem foi o primeiro rapaz de quem você gostou? (nome, idade, por que etc.)
- Conte algo emocionante que o seu noivo fez para você.
- Quais as regras de namoro que seus pais lhe deram?
- Quando e como foi o primeiro beijo?

Compartilhar: "A importância de contar as memórias da fidelidade de Deus" – Deuteronômio 6:4-9 ou Salmos 78:1-8.

58 UTENSÍLIOS ESTRANHOS

Material necessário: nomes ou ilustrações de utensílios de cozinha ou ferramentas em desuso, talvez pouco conhecidos; lápis e folhas de papel.

Procedimento: Distribua lápis e papel entre todas as convidadas. Leia o nome de um utensílio ou mostre uma ilustração e estabeleça um tempo para que cada uma descreva, por escrito, a função do objeto. Todas devem assinar seu nome na folha. Se quiserem, podem inventar explicações engraçadas para criar um ambiente divertido. Esgotado o prazo, recolha as folhas e leia as respostas em voz alta. Finalmente, explique a função correta do utensílio. Dê um ponto para quem acertou a resposta e um ponto para a participante que formulou a resposta mais divertida.

VARIAÇÃO

Escreva a função correta do objeto numa folha de papel e leia essa resposta com as demais, mas sem indicar quais respostas são certas ou erradas. As convidadas devem então votar, escolhendo a definição correta. Dê um ponto para as pessoas que votarem na resposta certa e um ponto para a participante cuja definição errada foi a mais votada.

59 LIÇÕES OBJETIVAS

Material necessário: objetos que ilustrem princípios da vida cristã.

Preparativos: peça a cada convidada que traga de sua casa um utensílio doméstico que ilustre uma verdade espiritual.

Procedimento: durante a reunião, cada participante deve mostrar o objeto que trouxe, compartilhar a verdade bíblica que ele ilustra e sugerir à futura esposa oportunidades para a aplicação na vida diária.

60 PARENTESCO

Material necessário: cópias suficientes do quadro a seguir.

RELACIONAMENTOS NA BÍBLIA

1.	Noemi e Rute	
2.	Abraão e Ló	
3.	Jacó e Rebeca	
4.	Eva e Caim	
5.	Jetro e Moisés	
6.	Isaque e Esaú	
7.	Rute e Davi	
8.	Caim e Abel	
9.	Finéias e Eli	
10.	José e Rúben	
11.	Barnabé e João Marcos	
12.	Miriam e Moisés	
13.	Raquel e Esaú	
14.	Ester e Mordecai	
15.	Jacó e Abraão	

Procedimento: lembre às participantes que o casamento não somente une duas pessoas, mas duas famílias também. Os parentes e o apoio familiar são importantes para um casamento bem-sucedido. Como oportunidade para refletirem um pouco mais sobre esse aspecto, distribua as folhas e peça às convidadas que identifiquem os relacionamentos que unem as pessoas mencionadas.

GABARITO

1. Sogra e nora
2. Tio e sobrinho
3. Marido e esposa
4. Mãe e filho
5. Sogro e genro
6. Pai e filho
7. Bisavó e bisneto
8. Irmãos
9. Filho
10. Irmãos
11. Primos
12. Irmãos
13. Cunhados
14. Sobrinha e tio
15. Neto e avô

Compartilhar: "A transmissão da fé de geração em geração" – Salmos 78:1-8; Provérbios 4:3-5.

ANOTE AQUI AS SUAS PRÓPRIAS IDEIAS...

PARTE 4

CHÁS DE BEBÊ

Reunimos aqui as ideias especialmente apropriadas para o chá de bebê, embora algumas delas possam ser facilmente adaptadas para outros encontros. Aproveite-as bem, e acrescente a sua criatividade!

61 CHÁ DE CUPONS

Material necessário: livrinho de cupons conforme a descrição a seguir.

Procedimento: quando as convidadas não dispuserem de grandes recursos para comprar presentes para a futura mamãe, prepare um livrinho de cupons a serem preenchidos pelas amigas. Cada cupom deve valer um serviço prático e conter todas as condições para o seu uso (prazo, horário etc.). Algumas sugestões de "serviços práticos":

- Uma refeição.
- Serviço de babá durante algumas horas.
- Um passeio com as crianças mais velhas.
- Uma carona para o supermercado.
- Uma lavagem de todas as fraldas ou da roupa da família.
- Uma limpeza da casa.

Compartilhar: "Cupons de amor prático" – Romanos 12:9-21.

62 "SEGURANDO" O BEBÊ

Preparativos: peça às convidadas que contribuam com dinheiro para comprar um presente em comum ou tragam presentes dentro do tema "segurança".

Sugestões:

- Tampas de segurança para tomadas.
- Portões de segurança para escada.
- Cadeira de segurança para o carro.
- Estojo de primeiros-socorros.

Cada uma deve trazer também um cartão com uma dica sobre como evitar situações perigosas para o bebê.

Procedimento: na entrega dos presentes, cada participante pode ler as suas dicas.

Compartilhar: "Perigo à vista: um leão que ruge!" – 1Pedro 5:8,9.

63 CHÁ DE FRALDAS

Combine com as convidadas que o presente será um estoque de fraldas descartáveis ou de tecido, conforme indicação da futura mamãe. Trata-se de um presente especialmente apropriado quando o bebê que está para chegar não é o primeiro filho, e a mamãe já tem quase tudo que precisa. Planeje todas as brincadeiras ao redor do tema "fraldas".

64 FRALDA SUJA

Material necessário: um broche para cada convidada, conforme a explicação a seguir.

Preparativos: monte os broches usando um tecido branco, cortado e dobrado como fraldinha, e preso com alfinetinho de segurança. Faça todos iguais, só que numa das fraldinhas esconda o 'cocô' – um pedacinho de lã marrom (no meio das dobras para que não apareça).

Procedimento: ao chegar, cada convidada ganhará um broche para prender em sua roupa. Durante o encontro, explique que alguém está com a fralda suja e peça que todas abram seus broches para verificar. A dona da fraldinha suja pagará uma prenda ou ganhará um prêmio, conforme a escolha da anfitriã.

65 CORRIDA DE FRALDAS

Material necessário: uma boneca, duas fraldas, dois alfinetes de segurança, cronômetro, prêmios.

Procedimento: Coloque a boneca no chão, explique que ela está com a fralda suja, e deixe ao lado os alfinetes fechados e a fralda limpa, dobrada. Cada participante deve trocar a fralda, enquanto o tempo é cronometrado. Dê um prêmio a quem completar a tarefa no menor tempo, e outro a quem o fizer melhor.

VARIAÇÃO

Use duas bonecas e divida o grupo em dois times. Todos devem trocar a fralda e o time que terminar primeiro é o vencedor.

Compartilhar: "Prosseguindo para o alvo" – Filipenses 3:13,14.

66 BOLO DE FRALDAS

Material necessário:

1 dúzia de fraldas de pano.
4 a 6 alfinetes de segurança.
3 pares de meias rendadas coloridas.
1 mamadeira.
2,5m de fita de 5-10mm de largura na cor azul.
2,5m de fita de 5-10mm de largura na cor rosa.
3m de renda com 2,5cm de largura.
Alfinetes.
Prato.

Procedimento

1. Dobre as fraldas em tiras compridas, com largura de até metade do comprimento da mamadeira.
2. Enrole a primeira fralda em volta da mamadeira. Fixe a segunda fralda na primeira com alfinetes e continue a enrolar até usar todas as fraldas.
3. Dobre a ponta da última fralda para dentro para fazer o acabamento.
4. Faça rosinhas das meias e segure-as entre as camadas de fralda.

5. Usando alfinetes, coloque a renda em volta do "bolo" mais ou menos a 2cm da parte superior.
6. Enfeite a lateral do bolo com fita azul, rosa e renda.
7. Prepare laços de fita e fixe-os com alfinetes em cima do bolo.
8. Coloque os alfinetes de segurança no lado do bolo, na diagonal, entre as fitas.
9. Amarre um laço de fita na mamadeira.
10. Coloque o bolo num prato.

Use o "bolo" como enfeite da mesa e depois o entregue à futura mamãe.

67 FRALDINHA NO BEBEZINHO

Material necessário: cartolina, material de desenho, cortiça ou isopor, fraldas desenhadas, alfinetes, lenço, boneca que chora.

Preparativos: desenhe um bebê numa cartolina e cole em cortiça ou isopor; prepare fraldas de papel, uma para cada participante.

Procedimento: a atividade deve ser realizada por uma convidada de cada vez. Cubra os olhos da participante com o lenço, gire-a três vezes para que perca a noção de direção, entregue-lhe um alfinete e uma fralda, e peça-lhe para colocar a fralda no bebê. Quando chegar a vez da futura mamãe, alguém deve estar com a boneca ao lado da cartolina. Assim que ela tocar com o alfinete no "bebê", a boneca deve começar a chorar.

68 CHÁ CONGELADO

Preparativos: oriente as convidadas quanto aos presentes (pratos congelados), para que haja variedade.

Procedimento: cada convidada deve trazer como presente um prato de comida congelada para ajudar a nova mamãe (e o papai!) nas semanas imediatamente após o nascimento do bebê.

Compartilhar: "Servindo uns aos outros: marca de amor" - 1Pedro 4:10,11.

69 FOTOS INFANTIS

Material necessário: fotos infantis de cada convidada; papel e lápis.

Preparativos: avise a todas para trazerem uma foto da sua infância, com até um ano de idade.

Procedimento: À chegada, recolha as fotos, identifique-as com números no verso e espalhe-as numa mesa. Cada participante deve tentar associar as fotos às pessoas presentes no chá. No final, revele as identidades dos bebês.

Compartilhar: "Deixando as coisas da infância e crescendo em Cristo" – Hebreus 5:11-14; 1Coríntios 13:11.

70 INSTITUTO RELÂMPAGO DE PUERICULTURA

Material necessário: papel e lápis para todas as participantes, uma boneca.

Procedimento: distribua as folhas de papel e os lápis, e peça a cada convidada para anotar uma tarefa que a nova mãe precisará ser hábil em cumprir para cuidar fisicamente do seu bebê. Importante: até aqui, não fale nada sobre a segunda parte da brincadeira. Recolha as folhas. Leia as sugestões uma a uma e, após cada leitura, convide a autora para dar uma "aula relâmpago" sobre como proceder, demonstrando na boneca.

Compartilhar: "Não sede vós muitos mestres..." – Tiago 3:1. "Sede meus imitadores... a importância do modelo dos pais na educação dos filhos" – 1Coríntios 11:1.

71 AJUDA NA COZINHA

Material necessário: folhas de papel, lápis para todas.

Procedimento: Agora que a mamãe não vai ter tanto tempo para cozinhar, ela precisa de ajuda na cozinha. Cada participante deve escrever uma sugestão de refeição rápida e simples.

Compartilhar: "A criação de filhos: nada instantâneo!" – Efésios 6:4.

72 A ARMADURA DE DEUS

Material necessário: roupinhas de bebê que representem os itens da armadura de Deus (Efésios 6:10-20).

Preparativos: providencie para que algumas convidadas tragam os seguintes presentes:

Pacote de fraldas	"cingindo-vos com a verdade"
Casaquinho	"vestindo-vos da couraça da justiça"
Sapatinhos	"calçai os pés com a preparação do evangelho da paz"
Babador	"embraçando sempre o escudo da fé"
Touca	"capacete da salvação"
Bíblia em edição ilustrada para crianças	"espada do espírito"
Chupeta	"oração no espírito"
Toalha e sabonete	"em Cristo"

Procedimento/Compartilhar: "A armadura de Deus" – Efésios 6:10-20.

Cada aspecto da armadura de Deus deve ser representado por um presente que será entregue à futura mamãe, acompanhado de uma explicação e de uma oração breve e específica dirigida por uma das participantes.

• As fraldas representam o "cinto" da verdade. Que a vida de _____ seja sempre caracterizada pela busca da verdade.

101 Ideias Criativas

para mulheres

- O casaquinho representa a couraça da justiça. Que _____ possa lutar pela justiça e ser um homem (uma mulher) de integridade.
- Os sapatinhos representam os pés preparados para proclamar o evangelho da paz. Que _____ esteja sempre pronto(a) para dar uma resposta sobre sua fé inabalável em Cristo Jesus.
- O babador representa o escudo da fé. Que Deus proteja _____ das coisas deste mundo.
- A touca representa o capacete da salvação. Que Deus proteja a mente de _____, e que ele (ela) seja totalmente puro(a) diante do Pai Celestial.
- A Bíblia representa a espada do Espírito. Que _____ ganhe sabedoria e compreensão da Palavra de Deus para permanecer firme na verdade.
- A chupeta representa a oração no Espírito. Que _____ possa honrar ao Senhor pela oração e gratidão.
- A toalha e o sabão representam a pureza da salvação. O texto de 1João 1:9 diz que "Se confessarmos os nossos pecados, ele é fiel e justo para nos perdoar os pecados e nos purificar de toda injustiça". A nossa oração é que _____ venha a aceitar o Senhor Jesus Cristo como Salvador e entregue a sua vida para o serviço do Rei.

73 MELODIAS EM SINTONIA

Material necessário: letras de cânticos infantis.

Preparativos: separe a primeira estrofe da letra de cada cântico em três partes e copie em diferentes folhas de papel. Por exemplo, para o cântico "O sabão", você terá:

- O sabão lava o meu rostinho.
- Lava o meu pezinho e lava as minhas mãos;
- Mas Jesus, pra me deixar limpinho, quer lavar meu coração.

Prepare folhas diferentes tantas quantas forem as convidadas.

Procedimento: entregue o material às participantes e explique que a tarefa de cada uma delas é achar as outras duas pessoas que têm linhas do mesmo cântico. Dado um sinal, a única maneira que poderão usar para identificarem umas às outras será cantar a linha do cântico que está em seu papel. Quando três participantes conseguirem se juntar e formar uma estrofe, devem cantá-la na sequência certa.

Compartilhar: "Harmonia no lar cristão" – Efésios 6:1-4.

74 VESTINDO O BEBÊ

Material necessário: Duas bonecas, duas sacolas de bebê.

Cada bolsa deve conter:
Uma fralda de pano
2 alfinetes de segurança ou fita adesiva

Calça plástica
Macacãozinho ou vestidinho
Touca
Sapatinhos

Procedimento: Divida as convidadas em dois times. A primeira participante de cada time deve vestir a boneca com todas as peças de roupas, sem esquecer de prender os alfinetes, amarrar as fitas etc. A segunda deve despir a boneca, desamarrando e soltando tudo com cuidado, e guardar toda a roupinha na sacola. Continue até que todas tenham participado. Vence o time que terminar primeiro.

Compartilhar: "Correndo com perseverança" – Hebreus 12:1,2.

75 MULTIDÃO DE CONSELHEIRAS

Procedimento: Peça às mães que compartilhem suas experiências e ofereçam conselhos:

- A maior bênção de ser mãe
- Uma dica para a futura mamãe
- Algo que a deixa irritada
- Um susto
- Uma provisão de Deus
- A maior surpresa como mãe

Uma boa ideia seria prevenir algumas mães que estejam preparadas para compartilhar sobre esses assuntos, caso não haja uma participação espontânea.

Compartilhar: "A multidão de conselheiras" – Provérbios 15:22.

76 CAÇA-PALAVRAS

Material necessário: Cópias do "Caça-palavras".

Procedimento: Use esta atividade como "quebra-gelo" enquanto as convidadas estão chegando. À entrada, entregue a cada participante uma cópia do "Caça-palavras" para que ocupe o seu tempo antes do início oficial do chá.

M	O	P	B	A	N	H	O	S	I	B	M	E	W	M	O	L	B	C
E	F	N	E	N	É	M	G	S	H	E	F	F	R	A	L	D	A	H
D	A	O	B	A	B	A	D	O	R	R	A	S	P	M	M	E	L	O
I	O	E	E	W	P	S	D	N	L	C	D	S	E	A	I	F	A	C
C	H	O	R	O	P	P	V	O	X	O	X	P	A	R	T	O	N	A
O	I	M	V	A	M	A	M	E	N	T	A	R	V	S	E	E	C	L
A	B	B	A	E	O	I	S	C	H	U	P	E	T	A	F	W	A	H
L	B	R	I	N	Q	U	E	D	O	E	F	W	L	E	I	T	E	O

GABARITO:

Neném, Bebê, Banho, Babador, Berço, Choro, Leite, Mamar, Amamentar, Parto, Fralda, Médico, Pai, Chupeta, Chocalho, Sono, Balança, Brinquedo.

Compartilhar: "Buscar-me-eis e me achareis..." – Jeremias 29:13.

77 GRANDES EXPECTATIVAS[3]

Material necessário: um pacote com peso de dez quilos (pode ser um pacote de areia, arroz etc.), toalha, cinco alfinetes de segurança, livro sobre a criação de filhos, chupeta, mamadeira com leite, faixa.

Procedimento: a brincadeira visa a preparar o casal, se o pai estiver presente, ou a mãe para as suas novas responsabilidades. Siga as instruções a seguir:

1. Entregue o pacote ao pai. Explique que logo ele será capaz de carregar um peso semelhante por quilômetros, sem pensar duas vezes.
2. Chame uma das convidadas para ir à frente e puxar um pouquinho o cabelo da mãe – não para machucar, mas para incomodar, sem parar. Explique que o bebê tende a fazer o mesmo, e é melhor que ela vá se acostumando.
3. Coloque uma toalha molhada no braço do pai. Explique que o bebê normalmente fica assim e que o pai sábio aprende a se acostumar com este pequeno desconforto.
4. Entregue ao pai e/ou à mãe os alfinetes de segurança e peça que os segurem nos lábios. Explique que é assim que os pais guardam os alfinetes enquanto estão trocando as fraldas. Encoraje os pais explicando que passados dois ou três meses, os seus lábios ficarão suficientemente duros para aguentar os alfinetes.
5. Presenteie a mãe com um livro sobre a criação de filhos e peça que ela faça uma volta na sala com o livro sempre aberto em suas mãos. Explique que ela deve manter esse livro sempre aberto para ajudá-la em cada passo no novo caminho.
6. Dê uma chupeta para a mãe e peça que ela a segure na boca. Explique que geralmente a chupeta é para o bebê, mas que haverá dias em que ela também vai precisar de uma.

7. Entregue uma mamadeira ao pai e peça que ele teste a temperatura do leite no braço da mãe. Se a pele ficar vermelha, indica que o leite está quente demais; se ficar roxa, está frio demais; se ela não reagir, está perfeito.
8. Entregue ao casal uma faixa com os seguintes dizeres: "Agora estamos prontos para sermos pais".

Compartilhar: "Sendo pais cristãos: o sacrifício e o prazer" – 3João 4.

78 PAPAI SABE MELHOR

Procedimento: Esta ideia é para chás em que os maridos estão presentes. Depois de cada presente que o casal abrir, o marido deve fazer o comentário que ele acha que sua esposa faria. Por exemplo, "Que fofinha!", "Que bonitinho!" etc. e dizer como e quando o objeto deve ser usado. Com certeza será divertido!

79 CEGONHAS NO BOLO

Material necessário: palitos, alfinetes de segurança, fita colorida.

Procedimento: enfeite o bolo com cegonhas feitas conforme o modelo ao lado. No final do chá, distribua os enfeites como lembrancinha do chá.

80 AS RESPOSTAS BATEM?

Material necessário: gravador

Preparativos: grave uma entrevista com o futuro pai, conversando sobre as expectativas do casal quanto ao novo bebê.

Exemplos de perguntas:

- Qual será o nome da criança se for um menino; uma menina; e se forem gêmeos?
- Quando e por que vocês decidiram encomendar o bebê?
- Quem irá disciplinar o seu filho (ou a sua filha)? Como?
- Quem irá buscar o bebê quando ele começar a chorar de madrugada?
- Quem irá falar das coisas de Deus a seu filho (ou sua filha)? Como e a partir de quando?

Procedimento: "Ao vivo", durante o chá, dirija à futura mãe as mesmas perguntas que foram feitas ao pai. Após cada resposta da mãe, ouça a resposta gravada do pai. Será interessante determinar se, como casal, estão prontos para assumirem o papel de pais.

81 QUERIDO BEBÊ

Material necessário: folhas de papel, lápis, álbum.

Preparativos: As convidadas devem trazer cartas escritas para o bebê ou escrevê-las no início do chá, incluindo seus votos, versículos bíblicos etc.

Procedimento: Durante o chá, as cartas devem ser lidas e compiladas num álbum como "memorial" para a criança.

Compartilhar: "Estimulando as crianças a andarem no Senhor" – Provérbios 22:6.

82 LEMBRANÇAS PALPÁVEIS

Material necessário: Receptáculo plástico (saco) não transparente ou fronha; cerca de 15 itens associados à vida do bebê (colher torta, babador, chocalho, ursinho, chupeta etc.); papel e lápis para cada participante; prêmio.

Procedimento: Coloque com antecedência todos os itens dentro do receptáculo (saco plástico). Distribua papel e lápis. Se o grupo for pequeno, permita que cada pessoa enfie a sua mão no receptáculo para explorar o conteúdo. Após 30 segundos, ela deve devolver o receptáculo, cantar uma música infantil, e então começar a anotar no papel os objetos que lembra ter podido identificar. No final, entregue os objetos à futura mamãe e dê um prêmio à pessoa que acertou o maior número de itens.

VARIAÇÃO

Para grupos maiores, coloque os objetos numa bandeja, dê 30 segundos para que todas possam observá-los, dirija um corinho, e depois peça que escrevam os nomes dos objetos.

Compartilhar: "Lembranças da fidelidade de Deus na família cristã" – Salmos 78:1-8.

83 RECORDAÇÕES

Material necessário: gravador

Preparativos: peça ao futuro pai que grave uma fita para ser ouvida no decorrer do chá. Na gravação, ele deve contar a história de como o casal planejou ter filhos, a emoção de saber que o bebê irá chegar, por que ele acha que sua esposa será uma ótima mãe etc.

Procedimento: Durante o chá, prepare um momento para que todas ouçam a gravação. Será emocionante. Entregue a fita à futura mamãe como recordação.

84 ÁLBUM DE MEMÓRIAS

Material necessário: Folhas de papel e canetas, um álbum para guardar fotos e outras lembranças, câmera de um celular.

Procedimento: Cada convidada deve escrever alguns conselhos práticos para a futura mamãe e entregá-los a você. Durante o encontro, fotografe o grupo, a decoração, as atividades. Após imprimir as fotos, monte todo o material num álbum para ser entregue à mamãe por ocasião do nascimento do neném.

Compartilhar: "Segurança na multidão de conselheiros" – Provérbios 15:22.

85 ADIVINHE OS DADOS

Material necessário: folhas de papel, conforme o modelo a seguir, e canetas.

```
Data e hora do nascimento: _____
Sexo: _____ Peso: _____
Comprimento: _____
Nome da convidada: _____
```

Procedimento: quando o chá for feito antes do nascimento do bebê, peça que cada convidada adivinhe os dados principais do parto. Guarde as folhas num envelope e entregue à futura mamãe para que ela confira no hospital e mande uma lembrancinha para a pessoa que chegou mais perto.

86 PROVINHA SOBRE A MAMÃE

Material necessário: cópias de uma prova semelhante à do modelo a seguir, adaptando-o para antes ou após o nascimento do bebê; canetas ou lápis.

1. Qual foi o peso máximo da mamãe antes do parto?
2. Qual a cor de sapato que ela está usando?
3. Quantos anos ela tem?
4. Qual a sua cor predileta?
5. Quantos irmãos ela tem?
6. Ela beijou o marido hoje?
7. Quantos filhos ela quer?

8. O que ela mais gosta de fazer quando o neném está dormindo?
9. Se o neném tivesse sido menina (ou vice-versa), qual teria sido o seu nome?
10. Quanto tempo durou o parto?

Procedimento: convide a futura mamãe a sair da sala. Distribua as provas e dê um prazo para que sejam completadas. Chame a homenageada, que também deverá ter preenchido uma "prova gabarito", e confiram as respostas.

Compartilhar: "Conhecidos por Deus desde a eternidade" – Salmos 139:13-17.

87 RETRATOS DO BEBÊ

Material necessário: folhas de papel; lápis para todas; prêmio.

Procedimento: entregue a cada participante uma folha de papel e um lápis, e explique que todas vão fazer um retrato do bebê seguindo as instruções que você dará. Apague TODAS as luzes, deixando a sala completamente escura. Oriente as participantes, passo a passo, na ordem em que elas devem desenhar o retrato do bebê – por exemplo, comece por mencionar os pés, então os olhos, depois as mãos, as pernas, o umbigo etc. Terminado o desenho, acenda as luzes e permita que todas examinem as obras de arte. Dê um prêmio para o retrato que a futura mamãe escolher como sendo o mais bonito.

Compartilhar: "Seremos como ele, pois o veremos como ele é" – 1João 3:2.

88 ENTREVISTA

Material necessário: perguntas apropriadas para uma "entrevista" com a futura mãe.

Procedimento: como parte do programa do chá, entreviste a homenageada. Algumas sugestões para as perguntas:

- Cite cinco qualidades que você gostaria de exemplificar como mãe.
- Qual a mulher que representa um modelo de mãe para você? O que você admira nessa mãe?

89 ADIVINHE A BARRIGA DA MAMÃE

Material necessário: novelo de lã ou barbante; tesoura.

Procedimento: formem um círculo, com a futura mamãe no centro. O novelo de lã deve passar de mão em mão e cada participante que o receber deve cortar um pedaço que corresponda, segundo a sua própria avaliação, à volta da barriga da futura mamãe. Quando todas estiverem com um fio de lã em mãos, devem experimentá-lo para verificar qual delas mais se aproximou da medida verdadeira.

90 ESCREVA A LEGENDA

Material necessário: revistas diversas com fotos apropriadas; álbum.

101 Ideias Criativas

para mulheres

Procedimento: recorte várias figuras que mostrem bebês fazendo caretas, mulheres grávidas etc. Entregue uma figura a cada participante e peça que escrevam uma legenda criativa. Após compartilharem os resultados, recolha tudo num álbum e entregue para a futura mamãe guardar.

91 DE A A Z

Material necessário: folhas de papel e canetas, prêmio.

Procedimento: distribua o material e oriente as participantes para escreverem o alfabeto na margem esquerda do papel. Estabeleça um intervalo de tempo para que elas encontrem verbos que descrevam algo que a mãe faz para ou com o bebê, sendo que cada verbo deve começar com uma letra do alfabeto. Dê um prêmio para a folha mais completa.

Compartilhar: "Acróstico da mulher virtuosa" (Apêndice) – Provérbios 31:10-31.

92 ESCOLHENDO O NOME CERTO

Material necessário: folhas de papel conforme indicações a seguir, canetas.

Preparativos: escolha dez nomes próprios e aliste-os na margem esquerda de uma folha. Na margem direita, escreva os significados desses nomes, porém não na ordem correta. Para preparar o material, recorra a um livro que traga os significados dos nomes.

Algumas sugestões de nomes bíblicos com os respectivos significados:

Ana	"Graciosa"
André	"Forte"
Arão	"Quem traz luz"
Daniel	"Deus é meu juiz"
Davi	"Amado"
Débora	"Abelha"
Ester	"Estrela"
Gabriel	"Homem de Deus"
Isabel	"Consagrada a Deus"
Joel	"O Senhor é Deus"
Josué	"O Deus da salvação"
Samuel	"Ouvido por Deus"
Sara	"Princesa"

Procedimento: distribua o material. Cada convidada deve ligar corretamente a coluna da esquerda à da direita.

Compartilhar: "O nome 'cristão': seguidor de Cristo" – Atos 11:26.

93 HERDEIRO-GLÍFICOS[4]

Material necessário: folhas com palavras escritas em "códigos" conforme o exemplo a seguir.

Procedimento: distribua as folhas e explique às participantes que um arqueólogo famoso descobriu um texto escrito numa nova língua. Ele tem apenas duas dicas a dar: todas as palavras têm a ver com bebês e a primeira palavra é "fralda". Aquela que conseguir decifrar todas as palavras no menor intervalo de tempo é a vencedora.

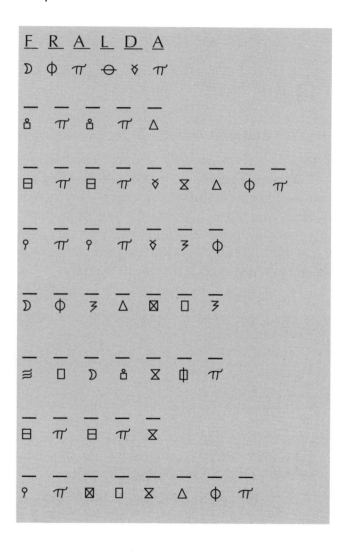

GABARITO DO ALFABETO:

Compartilhar: "Decifrando a vontade de Deus" – Efésios 5:15-17.

94 A PRIMEIRA CONSULTA

Material necessário: folhas de papel e canetas.

Procedimento: explique que chegou a hora da mamãe levar o seu bebê ao médico para a primeira consulta. Cada participante, ou "médica", terá um minuto para escrever o maior número de palavras com o número de letras solicitado pela futura mamãe e que se refiram a partes do corpo humano.

Exemplo:

4 letras	olho, pele, dedo
5 letras	braço, perna, bacia, lábio, nariz, peito
6 letras	ouvido, orelha, língua, cabelo, fígado, joelho, tendão, narina

95 N-E-N-É-M

Material necessário: Folhas preparadas conforme instruções a seguir, canetas, prêmios.

101 IDEIAS CRIATIVAS
para mulheres

Preparativos: para cada convidada, prepare uma folha conforme o exemplo a seguir, preenchendo os quadrados com palavras associadas à maternidade. Não pode haver folhas iguais, mas as palavras usadas devem ser as mesmas para todas as folhas. Prepare, para o seu controle, uma lista de todas as palavras que você utilizou.

Procedimento: distribua as folhas e as canetas, e comece a ler a lista de palavras. Cada convidada deve marcar com um "X" o quadrado onde está a palavra mencionada. Quem completar cinco itens em ordem (horizontal, diagonal, ou vertical) recebe um prêmio. Continue até esgotar os prêmios.

N	E	N	É	M
Berço	Chupeta	Banho	Parto normal	Médico
Flores	Mamar	Fralda	Cordão umbilical	Ultra-som
Hospital	Aniversário	X	Cesariana	Chá de bebê
Dedicação	Alfinete de segurança	Contração	Parto	Ursinho
Dilatação	Calça plástica	Babador	Cadeirão	Vacinação

96 MEMÓRIAS

Procedimento: encoraje a futura mamãe a compartilhar durante a reunião algumas de suas "memórias". Perguntas que podem ajudar:

- Fale sobre algo que sua mãe fez quando você era criança e que você gostaria de repetir com seus filhos.
- Conte uma experiência da sua infância que você gostaria de transmitir à próxima geração.
- Fale sobre os seus avós.
- Qual era o feriado predileto quando criança? Qual a razão?
- Compartilhe sobre uma das suas amigas de infância.
- Fale sobre as suas lembranças dos primeiros anos de escola.
- Fale sobre as férias da sua família quando você era criança.

Compartilhar: "O passado como motivação no presente" – Salmos 78:1-8; 1 Coríntios 10:6,11.

97 ÁGUA, SABONETE E TOALHA

Material necessário: folhas grandes de papel com o nome de coisas necessárias para cuidar do bebê em diferentes situações. Prepare dois jogos idênticos, um para cada time.

Exemplo:

Banho	água	sabonete	toalha
Comer	colher	prato	papinha
Dormir	berço	cobertor	travesseiro
Trocar fralda	fralda	fita crepe	calça plástica

Procedimento: divida o grupo em dois times e distribua as folhas, uma para cada participante. Assim que você criar uma situação – por exemplo, "dar banho no bebê" – os times devem procurar os elementos necessários (água/sabonete/toalha). As pessoas com essas folhas devem formar uma fila. O primeiro time a ficar pronto ganha ponto.

98 RETRATO RASGADO

Material necessário: folhas de papel, prêmio.

Procedimento: distribua as folhas de papel. Peça às convidadas que se levantem, com as folhas em mãos, e coloquem as mãos para trás. Mantendo essa posição, e sem olhar para trás, elas devem fazer um contorno do bebê apenas rasgando o papel. Terminada a tarefa, devem escrever seu nome no verso e entregá-lo à futura mamãe, que vai escolher o melhor retrato. A vencedora receberá um prêmio.

99 CORRENDO PARA O HOSPITAL

Material necessário: dois "telefones" (podem ser brinquedos ou montados em cartolina), duas malas, duas camisolas de tamanho grande que possam ser vestidas por cima da roupa, dois pares de chinelos, prêmio.

Procedimento: cada time deve formar uma fila atrás de uma cadeira ou de uma mesinha onde está o "telefone". Dado o sinal, a primeira pessoa tira o "telefone" do gancho e liga para o "médico" avisando que o bebê está chegando. Em seguida, pega a mala e corre para o "hospital" (uma cadeira a alguns metros de distância). Abre a mala, tira a camisola e os chinelos, veste-se e senta-se na cadeira. Logo em seguida, levanta-se, tira a camisola e os chinelos e os coloca de volta na mala para a segunda pessoa. O revezamento prossegue até que todas tenham participado. Vence o time que completar a prova com o menor tempo.

Compartilhar: "Correndo para o alvo da dependência de Cristo" – 1Coríntios 9:23-27.

100 OS DEZ MANDAMENTOS DA MATERNIDADE

Material necessário: Presentes que representem os "Dez Mandamentos" (podem estar embrulhados em fraldas), uma cópia dos "Dez Mandamentos" para ser entregue como lembrança à futura mamãe.

Procedimento: Proceda à leitura dos "dez mandamentos" com a entrega dos respectivos presentes.

Os dez mandamentos da maternidade

1. Não negligenciarás a tua feminilidade, pois as duas coisas são compatíveis: uma mulher atraente é uma mãe atraente. Em resumo, não serás relaxada. (Pente)
2. Estarás convencida de que o serviço caseiro deve se tornar menos impecável, pois sábia é a mãe que reconhece as limitações das suas forças. Recupera-te, separando tempo para repousar e também se arrumar. (Travesseiro para o neném)

para mulheres

3. Dispensarás a teu pequenino uma infinidade de carinhos e mimos para que ele se sinta seguro de sua posição em teu coração. (Ursinho ou bichinho de pelúcia)

4. Lembrando que nenhum bebê é igual a outro, ouvirás os conselhos bem intencionados, mas os sujeitarás a julgamento, deduzindo o que será melhor para o teu filho. Quando em dúvida, consultarás o médico e outras boas fontes de informações. (Livro sobre a criação de filhos)

5. Haverás de acostumar-te às exigências matinais do estômago do bebê, reconhecendo que esses momentos de alimentação, quando tudo em volta é silêncio, são oportunidades preciosas para estar bem pertinho do teu filho. (Babador)

6. Protegerás teu pequenino de visitas inconsequentes que chegam espirrando. Lidarás com tais visitas com firmeza e delicadeza, explicando que o bebê é sensível a micróbios. (Caixa de lenços de papel)

7. Não cobiçarás o dente do bebê de cinco meses do teu vizinho, nem o seu primeiro "mamãe", pois teu filho terá suas capacidades próprias. (Um caderno para anotar todas as bênçãos do crescimento do bebê)

8. Não forçarás teu marido a ficar de nariz torcido porque o bebê recebe mais atenção do que ele. Deves tornar-te atraente para ele também. (Perfume)

9. Encorajarás teu marido a exercer a paternidade, pois o bebê precisa dos braços dele tanto quanto dos teus. Irás ensiná-lo a alimentar, trocar e até dar banho no bebê. (Sabonete para o neném)

10. Darás graças porque onde havia dois, agora há três. A glória da maternidade brilhará em teu rosto, pois verdadeiramente és abençoada. (Espelho)

101 TEMPO DE ESPERA

Material necessário: Uma folha conforme modelo a seguir para cada participante.

(1)	Coelho	_____
(2)	Gambá	_____
(3)	Gata	_____
(4)	Égua	_____
(5)	Rata	_____
(6)	Baleia	_____
(7)	Porca	_____
(8)	Elefante	_____
(9)	Vaca	_____

Procedimento: Distribua as folhas. As participantes devem adivinhar o período de gestação dos animais em cinco minutos.

GABARITO:

(1)	30 dias	(4)	11 a 12 meses	(7)	4 meses
(2)	13 dias	(5)	3 semanas	(8)	22 meses
(3)	9 semanas	(6)	20 meses	(9)	10 meses

ANOTE AQUI AS SUAS PRÓPRIAS IDEIAS...

PARTE 5

Apêndice: Devocionais

Os esboços de estudos bíblicos são um ponto de partida para ajudá-la no preparo do período devocional do chá. Obviamente, você terá de estudar os textos bíblicos e enriquecer os esboços com a sua experiência pessoal, para que a devocional venha a ser de fato dinâmica e viva. Seja criativa no uso de ilustrações e aplicações apropriadas ao seu contexto e à realidade das participantes do seu chá.

1. VIVER A VONTADE DE DEUS

Textos
Efésios 5:17-21; Romanos 12:2; 1Tessalonicenses 5:17-19; 4:3s.; 1Pedro 2:15.

Introdução
Uma das frases mais comuns entre crentes e descrentes é: "Se Deus quiser...". Mas esta frase desperta uma questão: como saber se Deus realmente quer?

É comum nos preocuparmos com a "vontade de Deus". Parece-me que nos últimos anos essa preocupação vem aumentando cada vez mais, talvez pelo fato de que vivemos numa das épocas mais agitadas da história da humanidade (cite exemplos da atualidade). Trata-se de uma preocupação muito natural, e até sadia, visto que a Bíblia nos ordena conhecer e fazer a vontade de Deus (Efésios 5:17-21).

Achamos que somente com muito suor e grandes lutas iremos descobrir o plano que Deus tem para nós. Ou acreditamos ser possível descobrir a vontade Dele através de revelações especiais, profecias, visões ou sonhos. Na verdade, devemos nos preocupar muito mais com a vontade de Deus que já nos foi revelada (Salmos 37:4; Romanos 12:1,2; Provérbios 3:5,6). Em vez de andarmos preocupadas, à procura de um "sinal" de Deus para o futuro, devemos andar como "Caçadoras de Sabedoria" na Palavra de Deus, obedientes à vontade Dele já revelada! É absurdo pensarmos em ignorar o que Deus já revelou na Bíblia e imaginarmos que Ele vai nos dar informações particulares e especiais. Por que Deus faria tal coisa? A vontade Dele para nós não é mística, obscura ou difícil de achar. O primeiro passo que você deve dar é seguir os padrões que Deus já estipulou na Sua Palavra.

Ideia central
Conhecemos a vontade de Deus quando nos dispomos a obedecer à Sua Palavra.

Transição
Há três textos principais que apontam qual a vontade de Deus para nós. São três expressões claras da vontade de Deus para a sua e a minha vida.

I. A vontade de Deus é que vivamos em constante comunhão com Ele (1 Tessalonicenses 5:16-18).

O que esses três versículos têm em comum? Refletem uma vida de contentamento, satisfação e alegria apesar das circunstâncias – "sempre, sem cessar, em tudo"!

- "Regozijai-vos sempre", estando gratas porque Deus tem tudo sob controle e decididas a cultivar a comunhão com Ele como a coisa mais preciosa que possuímos. Por isso andamos alegres, seguras e contentes.

- "Orai sem cessar", numa atitude de dependência, comunhão, amizade e reverência. É semelhante à tosse, capaz de escapar a qualquer momento, a qualquer hora, com um mínimo de provocação.
- "Em tudo dai graças", considerando como privilégio estarmos vivas, sermos filhas de Deus e receptoras de todas as bênçãos celestiais em Cristo Jesus, ainda que sem nada merecer. Dar graças é uma filosofia de vida, uma estratégia de comunhão constante com Deus.

Aplicação

Conhecemos algumas maneiras práticas de manter comunhão com Deus: ler a Bíblia, fazer uma oração, ouvir e entoar cânticos, participar dos cultos. Mas a comunhão com Deus vai muito além destas "atividades", que muitas vezes acabam sendo pesadas em nossas vidas. O relacionamento com Deus não deve ser um peso, uma atividade a mais para ser incluída em nossa agenda já tão lotada. A ênfase da comunhão como parte da vontade de Deus para nós não é tanto uma atividade quanto uma amizade. Não é tanto uma disciplina quanto uma dependência. Não é tanto uma agenda quanto uma atitude. Não é tanto uma estratégia devocional quanto uma filosofia de vida.

II. A vontade de Deus é que mantenhamos pureza moral (1 Tessalonicenses 4:3-8).

- O contexto: um crescimento espiritual cada vez maior.
- Duas palavras importantes:

Santificação: separação (afastamento) cf. 1 Coríntios 6:18.

Prostituição: qualquer forma de pecado sexual antes ou depois do casamento – pornografia, pensamentos impuros, sexo ilícito.

- Versículo 6: Ninguém ofenda nem defraude a seu irmão; Deus é o vingador.
- Versículo 8: Cuidado!
- A mentira de Satanás: "Todo mundo faz!", "Não faz mal a ninguém", "A voz do povo é a voz de Deus." FALSO! A maioria vive no reino das trevas!

Aplicação
Não dê atenção às mentiras de Satanás. Você não está sozinha – muitas ainda não dobraram os joelhos a Satanás.

Mantenha-se íntegra no trabalho, no entretenimento, nos pensamentos puros, fugindo da impureza (1Coríntios 6:18).

III. A vontade de Deus é que obedeçamos às autoridades em nossas vidas (1Pedro 2:12-15).

- O contexto: um governo ruim, injustiça, sofrimento, perseguição, crentes acusados falsamente como malfeitores (v. 12). Situação de calúnia, intervenção policial e o ostracismo social.
- A exortação de Pedro: o cristão deve manter um testemunho exemplar, a ponto de ninguém poder acusá-lo de algum mal. Deve também se sujeitar a toda instituição humana (v. 13), praticando sempre o bem, no Senhor.
- Autoridades são instituídas por Deus, e usadas por Ele para nos revelar a Sua vontade, mesmo que esta não nos agrade. Desde que não viole princípios bíblicos, devemos obedecer.
- Deus é soberano. Se Ele instituiu uma autoridade, também tem poder para removê-la.
- Uma palavra de cautela àquelas de nós que estão em posição de autoridade: Cuidado! Devemos desempenhar bem a nossa função como embaixadoras

de Deus na vida de outros. Se não liderarmos como Deus pede, poderemos ser destruídas.

Aplicação

Algumas pressões que o mundo exerce para nos conformar a ele:

- Governo – leis, imposto, trânsito etc.
  O mundo diz: "os governantes são desonestos; são injustos; visam a interesses próprios".
- Pais – namoro, escola etc.
  O mundo diz: "os pais são ultrapassados; o que não ficarem sabendo não irá machucá-los".
- Marido/esposa
  O mundo diz: "Mulheres, assumam seus direitos!", "Não se submetam!".
- Liderança da Igreja (cf. Hebreus 13:17)

Conclusão

A voz do povo não é a voz de Deus! A vontade divina é que andemos em conformidade com os padrões Dele, apesar dos palpites do mundo.

Devemos nos preocupar muito mais com a vontade que já nos foi revelada na Palavra, e deixar que Deus cuide do restante. Ele é um Bom Pastor e quer o melhor para as suas ovelhas.

Você está dentro da vontade de Deus claramente expressa na Palavra?

- Está resistindo às pressões do inimigo na escola, no escritório, no serviço, na mídia? Ou será que está brincando com o fogo da imoralidade?
- É uma mulher alegre, grata, que mantém amizade constante com Deus?
- Você está sendo submissa às autoridades que Deus colocou em sua vida?

2. O ACRÓSTICO DA MULHER VIRTUOSA[5]

Texto
Provérbios 31:10-31

Introdução

O texto original de Provérbios 31:10-31 foi escrito em forma de um poema acróstico, usando na ordem certa todas as letras do alfabeto hebraico. Apresentamos aqui uma paráfrase acróstica em português.

Acróstico

v. 10	**A**chará alguém mulher virtuosa? O seu valor excede o de finas jóias.
v. 11	**B**em nenhum faltará ao marido que nela confia.
v. 12	**C**onstrói o bem e não o mal, todos os dias de sua vida.
v. 13	**D**isposição não lhe falta para trabalhar com a lã e o linho.
v. 14	**E**scuna mercante que de longe traz o seu pão, assim é comparada.
v. 15	**F**az suas tarefas logo cedo, alimentando a família e administrando as suas servas.
v. 16	**G**uarda dinheiro para comprar uma propriedade e plantar uma vinha.
v. 17	**H**abilita seus braços e lombos para o trabalho pesado.

v. 18a	**I**lustre é o seu ganho a seus próprios olhos.
v. 18b	**J**amais se apaga a sua lâmpada, mesmo à noite.
v. 19	**L**eva as mãos ao fuso e à roca.
v. 20	**M**antém o aflito e o necessitado.
v. 21	**N**ão teme a neve, pois em sua casa todos estão vestidos de lã escarlate.
v. 22	**O**rnamenta-se de linho e púrpura, e para si faz cobertas.
v. 23	**P**rezado é seu marido entre os juízes, quando se assenta com os anciãos da terra.
v. 24	**Q**ueda-se fazendo roupas de linho fino, vendendo-as e dando cinta aos mercadores.
v. 25	**R**eceio quanto ao futuro não há. A força e a dignidade são seus vestidos.
v. 26	**S**abiamente ela fala e instrui a bondade.
v. 27	**T**rabalha em prol do bom andamento da sua casa e não come o pão de preguiça.
v. 28	**U**rgem os filhos e lhe chamam ditosa; seu marido louva dizendo:
v. 29	**V**irtuosamente procedem muitas mulheres, mas tu a todas sobrepujas.
v. 30	**X**i! Graça e formosura são valores enganosos, mas a mulher que teme ao Senhor…Oh!
v. 31	**Z**unirá o público com louvores, se lhe deres do fruto das suas mãos.

101 Ideias Criativas
para mulheres

3. O PAPEL DA MULHER NO LAR E NA IGREJA

Textos
1Timóteo 2:15; 2Timóteo 3:15, 1:4,5; Tito 2:3-5, 1Timóteo 5:9,10.

Introdução
Qual o papel da mulher? Estamos tocando num tema extremamente polêmico em nossos dias. Há muita discussão ao redor do assunto, provocando até ira e divisão nas igrejas.

Nossa tendência é olhar para o aspecto NEGATIVO – o que o Novo Testamento proíbe à mulher.

Esquecemo-nos de que a Bíblia enfatiza o aspecto POSITIVO – o que a mulher pode e deve fazer no contexto do lar e da Igreja. Há muito mais na Bíblia sobre esse segundo aspecto do que sobre as limitações – um campo amplo e aberto que vai muito além, em alguns casos, das tarefas confiadas ao homem.

Ideia central
A mulher de Deus realiza-se no treinamento das novas gerações de líderes da Igreja.

Transição
Encontramos, pelo menos, três campos de atuação da mulher de Deus no serviço cristão.

I. A mulher treina a próxima geração de líderes para a Igreja (1Timóteo 2:15)

1Timóteo 2:15 é um texto difícil. Mas o ponto "x", que resgata a mulher do anonimato, da obscuridade e da insignificância, é o papel de mãe, influenciando a próxima geração de líderes.

Hoje o papel de mãe tem sido menosprezado. Mas é ele o primeiro e o mais importante papel da mulher na igreja. É um lugar de honra, de dignidade, de serviço à igreja.

Quem forma em sua igreja a próxima geração de líderes moldados na Palavra de Deus? O departamento de juniores? A Escola Bíblica Dominical? O Seminário? Não!!! São as mães: "fazedoras de homens e mulheres de Deus"! (Cf. 2Timóteo 3:15; 1:4,5: avó e mãe marcaram a vida de Timóteo.)

Aplicação
- Não adianta à mulher se envolver em inúmeras atividades da igreja se a sua casa não está em ordem. Ela não deve negligenciar as vidas que Deus lhe entregou para serem moldadas no lar, treinadas, e devolvidas ao mundo e ao ministério da igreja.
- Ministérios com mulheres devem encorajá-las no seu papel de mães.

II. A mulher treina a próxima geração de esposas e mães (Tito 2:3-5).

Esse é um ministério exclusivo para mulheres. Os homens não ensinam as mulheres a serem idôneas. O pastor não mostra para as jovens como cuidar das suas casas. Trata-se de um ministério praticamente reservado às mais idosas, que já criaram filhos, cuidaram dos maridos e serviram na Igreja – "mestras do bem… a fim de instruírem as jovens recém-casadas a amarem a seus maridos e a seus filhos!".

Aplicação
A jovem esposa e mãe precisa buscar mulheres idôneas e mais velhas que lhe possam servir de modelo e incentivo.

- Treinamento sobre disciplina de filhos.
- Testemunhos sobre instrução bíblica no lar.

III. A mulher deve servir às necessidades práticas da Igreja (1 Timóteo 5:9,10).

A terceira ênfase bíblica sobre o papel da mulher não compete com as outras duas, mas as completa. O contexto fala de viúvas alistadas no rol de sustento da igreja e o texto menciona aspectos que refletem dignidade e marcas de uma vida dedicada no serviço aos santos (cf. Provérbios 31:10-31):

- Um só homem (esposa dedicada ao marido; não dada a fantasias, novelas, romances etc.).
- Boas obras.
- Filhos criados.
- Hospitalidade.
- Serviço árduo e humilde.
- Socorro aos necessitados.

Aplicação
Devemos encorajar umas às outras através de oportunidades de serviço e treinamento para tal.

Conclusão
Dizem que "atrás de cada grande homem existe uma grande mulher". É verdade. Mas talvez não seja necessariamente a esposa. Pode ser uma mãe dedicada.

A mulher tem um grande campo de atuação dentro do lar e da Igreja. Ela treina e apoia a próxima geração de líderes para a Igreja, treina a próxima geração de esposas e mães, serve às necessidades práticas da Igreja. Que Deus nos torne mulheres de excelência enquanto cumprimos nosso papel bíblico com dignidade e honra.

4. FIDELIDADE NO CASAMENTO

Textos
1Coríntios 4:7; Gênesis 2:24; Lucas 16:10.

Introdução
Há várias características chaves para um bom casamento...(peça às suas ouvintes que compartilhem algumas).

Uma característica que especialmente chama a minha atenção pode ser resumida em uma palavra: "Fidelidade". É uma qualidade bastante rara em nossos dias. São poucas as jovens realmente fiéis, responsáveis e confiáveis.

São as coisas pequenas, repetidas fielmente dia após dia, que estabelecem a diferença entre a mediocridade e a excelência. A Palavra de Deus expressa com total clareza o que Ele espera das suas servas: "O que se requer dos despenseiros é que cada um deles seja encontrado fiel" (1Coríntios 4:2).

Ideia central
A fidelidade nas pequenas coisas estabelece a diferença entre a mediocridade e a excelência no casamento.

Transição
Há dois aspectos de fidelidade no lar que podem servir de encorajamento e alerta para todas nós.

I. Fidelidade nas pequenas coisas (Lucas 16:10).

O texto refere-se ao uso do dinheiro, mas o princípio é válido para todas as áreas da vida, e especialmente para o casamento.

Quando penso em fidelidade nas pequenas coisas do lar, focalizo em palavras como "sensibilidade", "tolerância" e "paciência". Estas são as marcas de um lar sólido, estável, que sobrevive às tempestades.

Aspectos aparentemente pequenos de fidelidade, que tantas vezes conseguem passar até despercebidos, podem fazer uma diferença significativa no seu lar.

- Comunicação
- Desenvolva o hábito da conversa ativa. Desligue a televisão para compartilhar com seu esposo sobre o dia de trabalho e os momentos de lazer, dando espaço a ambos para expressarem seus pensamentos e sentimentos. Parem diariamente para ouvir o que o outro tem a dizer.
- Crescimento espiritual.
- Cresçam juntos nas coisas de Deus. Sejam fiéis na oração um pelo outro e um com o outro; cultivem o seu crescimento espiritual lendo juntos a Bíblia e outros bons livros; estabeleçam desde cedo um tempo de culto doméstico com seus filhos; envolvam-se juntos no ministério da Igreja, fiéis na frequência, na contribuição e no serviço.
- "Hobby".

Pratiquem atividades em conjunto e partilhem interesses.

II. Fidelidade no relacionamento conjugal (Gênesis 2:24).

Casamento é uma obra de arte. Deus une duas vidas para formar algo totalmente novo – uma nova criação, um novo lar. Que privilégio, mas também que responsabilidade!

É um relacionamento exclusivo. Construa paredes de proteção para evitar que outros entrem e estraguem essa obra de arte. Seja totalmente comprometida para com seu esposo. Em nossos dias, quando a infidelidade conjugal é tida como virtude na sociedade, tenha a coragem de ser diferente, responsável e fiel a seu esposo.

A fidelidade conjugal não se limita à área sexual. Não permita que outras pessoas – pais, e também seus colegas e amigos – interfiram em sua união emocional. Corram em primeiro lugar um para o outro quando houver uma necessidade, uma tristeza ou uma alegria. Desenvolvam a fidelidade através da amizade e da intimidade emocional.

Conclusão

As coisas pequenas, praticadas com consistência e fidelidade, estabelecem toda a diferença entre um casamento medíocre e um casamento excelente.

No seu esforço para ser fiel, lembre-se de depender exclusivamente de Jesus. É a Ele que você pertence, desde o dia em que entregou a sua vida a Ele. É Ele que se deu na cruz para pagar o preço de todos os seus pecados. É Ele que ressuscitou para provar que não resta dívida alguma a ser paga. É Nele que você depositou toda a sua confiança para a vida eterna. Agora, coloque a sua confiança Nele para ser fiel no seu casamento (Filipenses 1:6; 1 Tessalonicenses 5:23,24).

5. O TEMOR DO SENHOR NA FAMÍLIA CRISTÃ

Textos
Provérbios 14:26; 13:22.

Introdução
O grande pregador do século 18, Jonathan Edwards, ainda é lembrado como um homem que temia a Deus. Certa vez, alguém traçou a descendência do pastor Edwards e de um ateu que viveu na mesma época (1703-1758) nas colônias da América do Norte. O resultado é surpreendente:

Jonathan Edwards – pastor	Max Jukes – ateu
13 professores universitários	310 morreram pobres
3 senadores	150 criminosos
30 juízes	7 homicidas
100 advogados	100 alcoólatras
75 oficiais militares	Mais da metade das mulheres eram prostitutas
80 oficiais públicos	
100 pregadores ou missionários	
60 autores conhecidos	
1 vice-presidente do país	
295 formados por faculdades	
alguns governadores de Estado	
1394 nada custaram ao Estado	**540 custaram ao Estado US$ 1.250.000**

Ideia central
O temor do Senhor dá proteção aos filhos de geração em geração.

Transição
Conforme o ensino de Provérbios, o homem (ou mulher) que teme a Deus estabelece uma herança preciosa para a sua família (Provérbios 14:26; 13:22).

Compartilhar
- Conversem sobre a sua "árvore genealógica". Seus pais conheciam o Senhor? Seus avós? Algumas podem dar o seu testemunho.

- Mães, descrevam seus sonhos para a sua descendência. Que passos concretos sua família pode dar para evitar uma tragédia semelhante à da família de Max Jukes?

Conclusão
Uma oração: "Senhor, ajuda-nos a construir muros de proteção para a nossa família enquanto vivemos cada instante na tua presença. Não permitas que nenhum dos nossos filhos ou netos se afaste de ti! Que sejamos fiéis e tementes a ti durante todos os nossos dias. Amém".

6. O SEMINÁRIO DO LAR

Texto
Salmos 78:1-8

Introdução
Israel falhou devido à indiferença dos pais na transmissão da fé aos filhos. Encontramos paralelos nos dias de hoje (ilustre com estatísticas etc.).

O salmo 78 é um salmo histórico e didático (ensina através da história) escrito por Asafe. É uma advertência para o povo de Israel não cair no mesmo erro de seus pais, que esqueceram de transmitir a fé aos filhos.

A primeira parte do salmo aponta para os benefícios do ensino de geração para geração. A partir do versículo 9, o texto mostra na história de Israel as conseqüências da falta de transmissão da fé à geração seguinte.

Ideia central
O povo de Deus garante a transmissão da fé de geração em geração pelo ensino bíblico no lar.

Transição
Podemos destacar cinco benefícios da transmissão da fé de pai para filho.

Preencha cada ponto do esboço com ilustrações e aplicações apropriadas ao seu grupo, ou peça com antecedência a algumas das convidadas para prepararem testemunhos dentro de cada aspecto destacado no esboço.

I. A transmissão da fé produz conhecimento da Palavra. (versículo 6a)

II. A transmissão da fé promove o desejo de propagar a Palavra. (versículo 6b)

III. A transmissão da fé leva os filhos à fé em Deus. (versículo 7a)

IV. A transmissão da fé promove obediência a Deus. (versículo 7b)

V. A transmissão da fé evita o julgamento de Deus contra a rebeldia. (versículo 8)

Conclusão

Israel falhou. E você, e eu? O que será da sua e da minha família daqui a uma geração... duas... cinco? Será que daremos início agora a uma seqüência de eventos que levará milhares a Cristo pela transmissão fiel da fé em Deus aos nossos filhos?

7. FILHOS, HERANÇA DO SENHOR

Texto
Salmos 127:3-5

Introdução

Qual o comentário que fazemos hoje quando somos informadas de que alguém está esperando o seu primeiro bebê? "Parabéns!"

Qual o comentário quando alguém nos avisa que está esperando seu quarto, quinto ou sexto bebê? "Que coragem!" ou "Que loucura!"

Qual a razão de pensarmos assim? O que mudou dos tempos bíblicos para cá? Conforme o texto bíblico, cada criança é uma bênção, uma herança e galardão que vem do SENHOR.

Por que criar filhos exige coragem em nossos dias? Quais os desafios que enfrentamos? (Crime, finanças, escola, rebeldia, moradia, cansaço, egoísmo, materialismo etc.)

Será que a expressão "Que coragem!" reflete a perspectiva da Palavra de Deus quanto à criação de filhos?

Ideia central
Embora criar filhos talvez seja o maior desafio que um casal pode enfrentar, também traz a maior bênção para a vida familiar.

Transição
O salmo 127 nos ajuda a focalizar em dois destaques da perspectiva de Deus sobre os filhos (veja Salmos 127:3-5 em duas ou três versões diferentes).

I. Filhos são sinal da bênção de Deus

Quais as palavras usadas por Deus para descrever os filhos?

- Herança
Imagine a alegria que você provaria se ganhasse uma grande herança. Ter filhos é uma herança ainda maior, muito mais durável e significativa.

- Galardão

Imagine se você descobrisse um saco de dinheiro perdido e recebesse uma recompensa (galardão) do banco por ter devolvido o dinheiro. Crianças são galardão dado pelo Rei do universo.

- Flechas
Crianças representam a força do casal e sua proteção.

II. Filhos trazem grandes benefícios aos pais

Quais os benefícios que os filhos trazem aos pais?

- Proteção ("flechas"): representam força, vigor e segurança na velhice.
- Felicidade: quando são guiados nos caminhos do Senhor.
- Orgulho sadio: "não será envergonhado".

Conclusão
Embora criar filhos seja talvez o maior desafio para a vida familiar (ilustre compartilhando uma experiência de como seu filho foi bênção em sua vida).

Criar filhos de fato exige coragem, mas no bom sentido e na dependência exclusiva de Deus. Em vez de dizermos "Que coragem!", diremos: "Parabéns!".

101 Ideias Criativas
para mulheres

8. OS PAIS E A PLENITUDE DO ESPÍRITO

Texto
Efésios 6:4

Introdução
Talvez o teste mais concreto para determinarmos se alguém está ou não cheio do Espírito Santo não se encontre no som do "louvorzão", mas na intimidade do lar cristão.

Contexto:	Efésios 1 a 3: A posição do crente – em Cristo
	Efésios 4 a 6: A prática do crente – em Cristo
	Efésios 5:18-21: O andar sábio, cheio do Espírito

Os resultados do andar no Espírito Santo manifestam-se nos relacionamentos familiares (Efésios 6:1-4).

Ideia central
A plenitude do Espírito Santo manifesta-se no lar quando os pais assumem sua responsabilidade de educar os filhos dentro dos padrões bíblicos, sem provocá-los à ira.

Transição
Duas responsabilidades dos pais cristãos podem ser destacadas: uma negativa e outra positiva.

I. Negativo: a plenitude do Espírito manifesta-se quando os pais deixam de provocar seus filhos à ira (Efésios 6:4a).

- "Pais": o termo é específico para homens, mas o ensino pode ser aplicado também à mãe no exercício do seu papel no lar.

- "Provocar": traz a ideia de uma série de atos injustos ou não apropriados, como no caso de Israel que "provocou" Deus à ira (Deuteronômio 4:25; 31:29; 32:21).

Aplicação
Como provocamos nossos filhos?

- Não os educando.
- Não os escutando.
- Não os disciplinando.
- Não os perdoando.
- Não nos comunicando com eles.
- Não brincando com eles.
- Não cumprindo promessas.
- Comparando-os com os outros.
- Mostrando favoritismo.
- Ridicularizando-os.
- Esperando além do que eles podem dar ou fazer.
- Sendo incoerentes na disciplina.
- Fazendo ameaças vazias.
- Criticando-os sempre.

II. Positivo: A plenitude do Espírito manifesta-se quando os pais assumem sua responsabilidade de educar os filhos nos padrões do Senhor (Efésios 6:4b).

- "Criar": suprir as necessidades, como uma mãe amamentando seu filho; cuidar, alimentar, apoiar (confira Deuteronômio 6:4-9; Efésios 5:29).
- "Disciplina": correção, treinamento, orientação (confira Hebreus 12:4-11; Provérbios 13:24).
- "Admoestação": instrução com advertências (confira Tito 3:10; 1Coríntios 10:11; Colossenses 1:28; 3:16).

Aplicação
- É responsabilidade dos pais educarem seus filhos, e não do governo, da Igreja, da creche, dos avós etc.
- O culto doméstico é um fórum dos mais apropriados para reverter o quadro "provocação à ira" para "provocação ao amor e às boas obras".

Conclusão

Sócrates, grande filósofo, disse há mais de 2000 anos: "Se eu pudesse subir ao lugar mais alto da cidade, levantaria a minha voz e proclamaria: Amados cidadãos, por que vocês examinam e raspam cada pedra em busca de riquezas, enquanto cuidam tão pouco dos seus filhos, a quem um dia vão entregar tudo?

Estamos provocando nossos filhos à ira pela negligência, enquanto corremos atrás de coisas transitórias? Estamos investindo nossas vidas na criação espiritual daqueles a quem deixaremos tudo?

9. TESOUROS

Texto
Marcos 8:36

Introdução
Há uma história que pode nos ajudar a descobrir o privilégio e a responsabilidade de criarmos nossos filhos.

Eu estava numa joalheria quando ouvi um vendedor responder a uma senhora que lhe havia perguntado sobre algumas pérolas: "Minha senhora, esta pérola vale 15 mil reais". Fiquei imediatamente interessada. "Deixe-me ver a pérola que vale 15 mil reais", eu disse. O vendedor a colocou num feltro preto e eu pude observá-la cuidadosamente.

Então comentei: "Suponho que o estoque da joalheria seja muito valioso". Enquanto eu admirava aquela loja maravilhosa, imaginei o seu pessoal trazendo todo o estoque para a minha casa, dizendo: Queremos que você tome conta disso por uma noite". O que vocês acham que eu faria? Eu correria para o telefone e chamaria o chefe de polícia: "Estou com todo o estoque da joalheria em minha casa e isso é uma tremenda responsabilidade. O senhor poderia enviar seus oficiais de confiança para me ajudar?".

Mas eu tenho um menino (uma menina etc., conforme o número de filhos) em minha casa, e

101 Ideias Criativas
para mulheres

sou responsável por ele. Eu o tenho tido por ___ anos (complete conforme seu caso). Algumas de vocês estão numa situação semelhante, ou logo vão estar. Olho para este velho livro (tome sua Bíblia em mãos) e leio: "Que adianta ao homem ganhar o mundo inteiro e perder sua alma? Ou que daria o homem em troca da sua alma?" É como se ele tivesse todos os diamantes e rubis e pérolas do mundo, e os segurasse com uma das mãos, e segurasse a alma humana com a outra para descobrir que a alma vale mais que todas as joias. Se você morre de medo ao pensar em ter em sua casa joias no valor de 15 mil reais, como você vai se sentir quando pensar na possibilidade de perder a alma do seu próprio filho?[6]

Compartilhar

Após ler a história, dirija algumas perguntas às convidadas para estimular o compartilhar sobre o privilégio e a responsabilidade de ser mãe de "joias preciosas" e sobre a importância de criá-las nos caminhos do Senhor.

- O privilégio de criar filhos – as recompensas, as alegrias, as coisas engraçadas que fazem, alguns momentos preciosos que as mães não trocariam por nada mais nesse mundo.
- O peso da responsabilidade de ser mãe – a formação do caráter da criança, a criação nos caminhos do Senhor.
- A fidelidade e o poder de Deus em nos capacitar para a grande tarefa de ser mãe – Filipenses 4:13; Lamentações 3:22,23; Filipenses 2:13; 2Coríntios 3:4,5.

10. SUPERANDO A AMNÉSIA ESPIRITUAL

Texto
Deuteronômio 6:4-9

Introdução
Compartilhe sobre a experiência de perder a memória (extraia ilustrações de situações da vida real, filmes etc.), salientando o quão terrível é apagar uma porção da sua vida ao perder a memória. Pior ainda é sofrermos de "amnésia espiritual".

Israel foi um povo privilegiado pela presença de Deus aliada a muitas manifestações da Sua provisão, mesmo no deserto. Deuteronômio é um documento da renovação da aliança entre Deus e uma nova geração de Israel, seguindo a forma dos tratados antigos entre um rei e seus súditos. Uma parte desses documentos estipulava a transmissão da aliança de geração em geração (Deuteronômio 6:4-9).

Na prosperidade, Israel corria o perigo do esquecer-se da aliança: "Amnésia Espiritual" (Deuteronômio 6:10-12).

Ideia central
A mãe sábia aproveita as muitas oportunidades que se apresentam durante o dia para transmitir a seus filhos o amor a Deus e à sua Palavra.

Transição
Como podemos evitar a "amnésia espiritual" na vida dos nossos filhos? Vamos identificar quatro doses de vacina.

Solicite com antecedência que algumas convidadas se preparem para dar testemunhos que ilustrem os pontos do esboço.

I. A transmissão da fé tem início quando os pais amam a Deus de todo o coração (Deuteronômio 6:4-6).

- Deus como único Mestre (v. 4).
- Amor exclusivo a Deus, de todo o coração (v. 5).
- As palavras de Deus no coração (v. 6).

II. A transmissão da fé acontece quando os pais ensinam a Palavra de Deus formalmente a seus filhos (Dt 6:7).

- "Inculcarás": traz a ideia de ensinar com propósito, diligência, constância.
- "Falarás": destaca a intenção de transmitir verdades bíblicas.

III. A transmissão da fé acontece quando os pais ensinam a Palavra de Deus informalmente a seus filhos (Deuteronômio 6:7).

- "Assentado... andando...ao deitar-te...ao levantar-te": refere-se ao ensino constante, em tempos oportunos e altamente propícios para a aprendizagem durante o dia todo!

VI. A transmissão da fé acontece quando os pais ensinam a Palavra de Deus simbolicamente a seus filhos (Deuteronômio 6:8,9).

- "Atarás como sinal na tua mão": em tudo que faz.
- "Serão por frontal entre os teus olhos": em tudo o que pensa e vê.
- "Escreverás nos umbrais de tua casa e nas tuas portas": para onde quer que for.

Conclusão

Para evitar a "amnésia espiritual", a mãe sábia aproveita as muitas oportunidades que se apresentam durante o dia para transmitir a seus filhos o amor a Deus e à Sua Palavra.

Notas

[1] DEPEW, Arthur M. **The cokesbury party book**, Nova York: Abingdon, 1932, p. 138. Tradução do autor.
[2] Adaptação de uma ideia apresentada por Kay Kesling. Klamath Falls, Oregon.
[3] Contribuição de Jan Fanning, Dallas, Texas.
[4] Contribuição de Marsha Page, Dallas, Texas.
[5] Derlei Bernardino de Oliveira, Atibaia, São Paulo. Usado com permissão.
[6] J. Wilbur Chapman, traduzido e adaptado.

Sua opinião é importante para nós.

Por gentileza, envie-nos seus comentários pelo e-mail:

editorial@hagnos.com.br

Visite nosso site:

www.hagnos.com.br